Sprachkurs Plus Anfänger

German

Deutsch als Fremdsprache
Begleitbuch

Eva Heinrich
Andrew Maurer

Sprachkurs Plus
Deutsch
als Fremdsprache (Ausgangssprache Englisch)

im Auftrag des Verlags
erarbeitet von: Eva Heinrich, Andrew Maurer
Redaktion: Sinéad Butler
Redaktionelle Mitarbeit: Sophie Eulenfeld
Projektleitung: Rebecca Syme
Layout und
technische Umsetzung: zweiband.media, Berlin
Umschlaggestaltung: Cornelsen Schulverlage Design
Umschlagfoto: JUNOPHOTO, Berlin
Tonstudio und -technik: Clarity Studio, Berlin
Toningenieure: Christian Marx, Pascal Thinius
Regie: Susanne Kreutzer
Sprecher/-innen: Denis Abrahams, Mimi Beaufort-Spontin, Marianne Graffam, Susanne
                         Kreutzer, Kim Pfeiffer, Christian Schmitz, Felix Würgler

Weitere Deutsch als Fremdsprachetitel bei Lextra:

978-3-589-01598-6 Lextra Übungsgrammatik Deutsch als Fremdsprache
978-3-589-01559-7 Lextra Grund- und Aufbauwortschatz nach Themen
978-3-589-01560-3 Lextra Übungsbuch Grundwortschatz nach Themen
978-3-589-01690-7 Lextra Übungsbuch Aufbauwortschatz nach Themen
978-3-589-02027-0 Lextra Jeden Tag ein bisschen Deutsch als Fremdsprache

Außerdem gibt es zahlreiche spannende DaF-Lektüren von Lextra

www.cornelsen.de
www.lextra.de

1. Auflage, 2. Druck 2014

Druck: Stürtz, GmbH, Würzburg

ISBN: 978-3-589-02019-5

PEFC zertifiziert
Dieses Produkt stammt aus nachhaltig
bewirtschafteten Wäldern und kontrollierten
Quellen.

www.pefc.de

Inhaltsverzeichnis Contents

Einleitung Introduction

Welcome to *Lextra Sprachkurs Plus Deutsch als Fremdsprache!*

If you are an absolute beginner who is keen to learn the language at home, this self-study course is right for you. By the end of the coursebook and CDs you will have a solid command of basic German, enabling you to communicate effectively with native German speakers in everyday situations.

About the German language

German is spoken by approximately 90 million people and as such ranks as one of the ten most widely spoken languages in the world. Outside of Germany, it is an official language in Austria, Switzerland, Luxembourg, Liechtenstein and Belgium. It is also one of the working languages of the EU.

Closely related to Dutch and English, German is classified as a 'West Germanic language' and therefore belongs to the group of Indo-European languages. Speakers of English, Dutch, Scandinavian languages and languages related to these will find much that is familiar in German, e. g. *Tochter – dochter – datter – daughter*. Latin and Greek also left their mark on the language and many words are known internationally.

Nevertheless, German has retained some features which can make learning it a sometimes challenging but always interesting experience. These include three genders (masculine, feminine, neuter), four cases (nominative, accusative, dative and genitive) and an affection for joining words together, resulting in some very long compound nouns: *Geburtstagskuchen* (birthday cake), *Berufserfahrung* (work experience), *Schwangerschaftsverhütungsmittel* (contraception).

Perhaps the most well-known is its sentence structure: words and phrases are sometimes inverted because of the presence of a conjunction or adverb; changing word order can also change the emphasis of a sentence. Additionally, in certain tenses and after the use of particular words, verbs sometimes have to go to the end of a sentence: *Ich kann Deutsch sprechen* (literally: I can German speak).

On the other hand, German pronunciation is very regular (with the occasional exception). German-speakers themselves are aware that their language is less than straightforward and are always happy when people at least attempt to use a few words.

How to use this course

Lextra Sprachkurs Plus Deutsch als Fremdsprache has three components:
- **Lehrbuch**
- **Begleitbuch**
- **two CDs**

The Lehrbuch
Here you'll find the core material of the course set out in 20 units. Each unit follows the same structure and contains many of the same features.

Dialog
Each unit starts with one or two dialogues, which are also on the CD. The ▶ tells you which track number to play.

Listen and read the dialogue as often as necessary for you to understand the content and to answer the questions that follow. It's not vital to know every word – for any new vocabulary you don't understand after listening, you can turn to the **Wortschatz** boxes.

Wortschatz

Throughout the course you'll see blue boxes in which new vocabulary is presented. New words and phrases are translated into English (the translation fits the context of the proceeding dialogue or exercise). In addition, there is space to add a translation in a further language, or notes to help you learn the word.

The gender of nouns is always given and when you learn new nouns you should always learn them with their genders; later on more information is given regarding plural forms.

You can find a comprehensive **Glossar** in the **Begleitbuch**.

Wortschatz	
essen . . . . to eat	_____
die Bratwurst, ü-e . . . . fried sausage	_____
Hunger haben . . . . to be hungry	_____
Ich möchte . . . . I would like …	_____

Hören

To practise listening comprehension you'll find another one or two dialogues which are presented on the CD. A printed version of the dialogue only appears after the questions and **Wortschatz**. Listen to the text as often as you need to and try to just listen the first time you play it. If there is something you don't understand even after repeated listening, then the text is there to help.

Grammatik

Under this rubric you will find all the grammar explanations and examples. Based closely on the grammar which you have heard or read in the **Dialog** and **Hören** sections, these will give you a step-by-step guide on how the language is structured and used. Where appropriciate, illustrations serve as visual aids.

Übung

At each stage of the course, there are exercises to practise and reinforce the new material which has been presented. You'll find the answers in the **Begleitbuch**.

Some exercises are marked "**Und jetzt Sie!**" – here you can answer with information about yourself and so build up vocabulary and phrases which you can use in real life when conversing with German-speakers.

Other exercises have an audio and a role-play component and are designed so that you can speak some German. A dialogue in the book, closely related to material in the unit, is presented with some lines missing. You (**Sie**) have to construct responses based on the hints given. You can write them down or prepare them in your head. Then listen to the CD and give your answers in the pauses.

Lesen

The reading texts provide more vocabulary related to the unit's main topic, as well as often offering an insight into life in a German-speaking country. It's not necessary to understand every word; getting the general meaning is enough. But here you'll also find a **Wortschatz** with new words.

Aussprache

Important aspects of German pronunciation are featured here with helpful audio examples and practice.

Texts marked with this symbol offer more background information on the topic. They are bonus texts which focus on life in German-speaking countries rather than on the language. Translations of all of them can be found in the **Begleitbuch**.

Test

To round off each unit, a short test provides a chance to revise the material you have just covered and to evaluate your progress, as well as identifying any areas where you need more practice. The answers to the test are also in the **Begleitbuch**.

The Begleitbuch

Functioning as a reference work, the **Begleitbuch** contains the following:
- a detailed table of contents (**Inhaltsverzeichnis**)
- this introduction (**Einleitung**) with background information about the German language
- a key (**Lösungsschlüssel**) with all the answers to the exercises which appear in the **Lehrbuch**
- translations (**Übersetzungen**) of the instructions, short introductory texts to the dialogues, grammar explanations, background texts and other important information given in German in the **Lehrbuch** can be found here to make working with the course easier; the dialogues and actual content of the course are not translated
- German-English and English-German glossaries (**Glossare**)

The two CDs

These contain all the dialogues and other listening material. With native speakers and a natural but slow speaking pace, the two CDs form an essential part of the course.

We hope you enjoy working with *Lextra Sprachkurs Plus Deutsch als Fremdsprache*.

Viel Erfolg!

The Authors and the Lextra Team

List of instructions

Here you'll find the most common instructions in the course translated into English.

Antworten Sie.	Answer.
Beantworten Sie die Fragen.	Answer the questions.
Beschreiben Sie …	Describe …
Ergänzen Sie …	Complete …
Formen Sie Sätze.	Make sentences.
Hören Sie zu …	Listen …
Hören Sie dann zur Kontrolle.	Listen to check your answers.
Kreuzen Sie an.	Tick the (correct) box.

Lesen Sie …	Read …
Lesen Sie laut.	Read aloud.
Ordnen Sie zu.	Match.
Schreiben Sie …	Write …
… und sprechen Sie nach.	… and repeat.
Tragen Sie ein.	Fill in.
Übersetzen Sie.	Translate.
Und jetzt Sie!	Now it's your turn!
Verbinden Sie.	Connect.

Headings within the units

In diesem Kapitel lernen Sie:	In this unit you will learn:
Dialog	dialogue
Wortschatz	vocabulary
Hören	listening
Grammatik	grammar
Lesen	reading
Aussprache	pronunciation
Test	test

Abbreviations used in the book

Akk. = Akkusativ	accusative
Dat. = Dativ	dative
f. = feminin	feminine
Kap. = Kapitel	unit
m. = maskulin	masculine
Nom. = Nominativ	nominative
Pl. = Plural	plural
S. = Seite	page
wörtl. = wörtlich	literally

Lösungsschlüssel Answer key

Kapitel 1
1 **b** Alex Müller **c** Anna Müller
   d Markus Müller
2 **Person 1: b** Lili Meier **d** Deutschland;
   Person 2: a Servus! **b** Sabine Schulz
   c Wien **d** Österreich;
   Person 3: a Hallo! **b** Martin Weber
   c München **d** Deutschland;
   Person 4: a Grüezi! **b** Beat Ammann
   c Bern **d** der Schweiz
3 **a** Lukas **b** Jens, Jutta **c** Ralf, Jürgen
   d Tanja, Martha
5 **a** Alexander Moser **b** Ursula Siebert
6 **a** Frankfurt **b** Leipzig
8 **a** Hamburg **b** Berlin **c** Leipzig **d** Köln
   e Dresden **f** Frankfurt **g** Deutschland
   h München **i** Wien **j** Zürich **k** Salzburg
   l Bern **m** die Schweiz **n** Österreich
9 **a** Österreich **b** Türkei **c** Dänemark
11 **a** Bluse **b** Füße **c** Schlange **d** Zähne
   e Hose **f** Frösche

Test
1 **a** Schwerin **b** Zürich **c** Maar **d** Salzburg
   e Österreich **f** Gros
2 **c**
3 **b**
4 **a**
5 **b**

Kapitel 2
1 **a** ist, bin, sind, bist, seid **b** kommt,
   komme, kommst, kommt
2 **a** Café **b** Musik **c** Germanistik
   d Informatik, Computer
3 **a** Boris **b** Anna **c** Claire
4 **b** Claires Hausnummer ist 3.
   c Boris' Adresse ist Hauptstraße 103.
   d Anna studiert Informatik.
5 **a** Sie **b** Er **c** Sie **d** du, Ich **e** ihr, Wir
   f Sie, Ich
6 **b** studieren **c** kommen **d** sein
7 **a** kommst, komme **b** kommt,
   kommen **c** kommen **d** kommt **e** kommen
8 **a** gehst, gehe **b** geht, gehen **c** geht
   d gehen **e** gehen
9 **a** ist **b** bist, bin **c** sind, bin **d** seid, sind
   e sind

10 **b** zehn **c** sechs **d** zwei **e** vier
11 **a** elf, sechsundzwanzig
   b einunddreißig, sieben, vierundzwanzig
   c neunzehn, sechsunddreißig,
   fünfundfünfzig **d** achtundzwanzig
   e fünf **f** zwanzig **g** hundert **h** vierzehn
   i zwölf **j** null
12 **Anna:** 8927356; **Boris:** 2046774;
   Claire: 5580179
14 **a** Frau Richters Vorname ist Andrea.
   b Sie ist 37 Jahre alt.
   c Sie wohnt in Darmstadt.
   d Frau Richters Hausnummer ist 23.

Test
1 **a** kommst **b** komme **c** geht **d** gehen
2 **a** sind **b** bin **c** bist
3 **a** fünfzehn **b** sechsunddreißig
   c (ein)hundertzwölf

Kapitel 3
1 **das Wohnzimmer:** *der Tisch*, die Stühle,
   das Sofa, das Regal, die Bücher, die
   Lampe, die Tür
   die Küche: der Kühlschrank, der Herd, die
   Mikrowelle, das Fenster
   das Schlafzimmer: das Bett, der Schrank
2 **b** F, Im Arbeitszimmer steht ein Computer.
   c R **d** F, Susanne hat viel Papier auf dem
   Schreibtisch. **e** F, Die Stifte stehen auf
   Peters Schreibtisch. **f** F, Die CDs sind im
   Regal. **g** R **h** F, Im Wohnzimmer gibt es
   Kaffee und Kuchen.
4 **a** das **b** der **c** die **d** der **e** die **f** das **g** die
5 **-(ä/ö/ü)-:** der Vater, die Väter
   -s: die CD, die CDs
   -(ä/ö/ü)-e: der Kühlschrank, die
   Kühlschränke; der Stift, die Stifte
   -(n)(e)n: die Toilette, die Toiletten; die
   Wohnung, die Wohnungen
   -(ä/ö/ü)-er: das Wörterbuch, die Wörter-
   bücher
6 **b** der Stuhl **c** das Regal **d** die Lampe
   e die Studentin **f** das Papier **g** das Kind
   h das Zimmer
7 **b** *die* Studenten **c** die Babys **d** die Häuser
   e die Kuchen

8 **b** *Das ist eine* Jacke. Die Jacke ist *blau*.
c Das ist ein Sofa. Das Sofa ist grün.
d *Das sind* Bananen. Die Bananen sind gelb.

9 **b** *Das ist kein* Stuhl. Das ist eine Tür.
c Das ist keine Tür. Das ist ein Sofa.
d Das sind keine Stifte. Das sind Bücher.
e Das ist kein Buch. Das sind CDs.

10 Tisch, Lampe, Stuhl, Sofa, Regal

11 **a** Das Sofa *ist lila. Es kostet* 299 *Euro.*
b Der Stuhl ist grün. Er kostet 148 Euro.
c Das Regal ist weiß. Es kostet 39 Euro.
d Der Schreibtisch ist braun. Er kostet 254 Euro.

12 **nach a / o / u / au:** das Buch, der Kuchen, machen
nach e / i / ä / ö / ü / äu / eu / Konsonant: *Österreich*, richtig, München, wirklich, natürlich, sprechen

Test

1 **a** A ein, B kein, eine **b** A eine, B keine, ein
c A die, B Sie, A das, B Es, A der, B Er, A die, B Sie

2 **b** die Tische **c** die Wohnung **d** die Bücher
e die Studentin **f** die Sofas **g** das Zimmer

Kapitel 4

1 **a** Bruder, Großvater **b** Tochter, Söhne, Mann **c** Sohn, Schwiegertochter, Enkelkinder

2 **a** Schwester **b** Großmutter **c** Vater
d Tochter **e** *Schwieger*tochter **f** Enkelsohn

3 **Musterantwort:** *Mein Hund ist* wirklich klug, sehr groß, immer glücklich und auch freundlich. *Meine Katze ist* nicht sehr groß, ein bisschen verrückt, auch intelligent und immer glücklich.

5 **a** Großvater Erich trinkt Bier. **b** Anna trinkt Apfelschorle. **c** Marco trinkt Bier.
d Tante Hilde trinkt Rotwein. **e** Onkel Freddy trinkt Weißwein.

6 **a** Bratwurst. **b** Kuchen. **c** Australien.
d in der Küche.

7 **a** meine **b** ihr **c** Ihre **d** mein, seine
e deine **f** unsere

8 **b** dein **c** seine, unsere **d** Ihr **e** Ihre
f Ihre **g** Mein

9 **a** mein **b** dein **c** seine **d** ihr **e** unsere
f eure **g** ihre **h** Ihre

10 **a** Ich **b** Du **c** Ihr **d** Lisa **e** wir **f** du

11 **b** kauft ihr **c** trinkt er **d** studiert sie
e gehen wir

12 **b** Wie heißen Sie? Ich heiße Frau Schumann. **c** Wo wohnt ihr? Wir wohnen in Leipzig. **d** Was essen die Eltern heute? Sie essen heute Kuchen.

13 **a** komme aus Köln. **b** Robert Bier?
c Trinkst du / Trinken Sie Apfelschorle?
d wir essen

14 Ich trinke ein Glas Apfelschorle.; Ich esse Kuchen.; Das Bier steht in der Küche, im Kühlschrank.; Das ist Tante Natascha.; Das ist ihr Mann, Onkel Jakob.; Ja, Tante Natascha trinkt Wein.

15 **a** Anna isst heute den Kuchen. *Anna eats the cake today.* **b** Morgen isst Alex die Bratwurst. *Alex eats the sausage tomorrow.* **c** Der Hund liebt das Kind. *The dog loves the child.* **d** Den Hund liebt das Kind. *The child loves the dog.* **e** Die Eltern kaufen einen Tisch. *The parents buy a table.*
f Die Großeltern kaufen Stühle. *The grandparents buy chairs.*

16 einen, keine, eine, den, die, ein, einen, keine

17 **b** Die, eine, Die, keinen **c** Das, einen, Der, keine **d** Die, ein, Das, die **e** Das, den, Die, keinen

18 **a** T **b** L **c** L **d** T **e** L **f** L **g** T **h** L **i** L **j** T **k** L **l** T

Test

1 **a** Mona studiert Deutsch. **b** Wo wohnen Sie? **c** Hat Marie einen Hund? **d** Meine Eltern haben keine Katze.

2 **a** ihre **b** sein **c** dein **d** eure

3 **a** Der, einen **b** Die, eine **c** Das, kein
d Die, eine

Kapitel 5

1 **a** macht, spielt **b** kocht, spielt
c macht, spielt

2 **a** kochen **b** spielen **c** schwimmen **d** lesen
e gehen

4 a A b B c B d C e A f A g C h B

5 b Boris, Suppe c Anna d Claire geht in Sinfoniekonzerte. e Anna, Boris, Claire f Boris, Popcorn

7 a gern b nicht gern c gern d sehr gern e nicht gern f gern g sehr gern h sehr gern

10 a Orhan Arslan b Simone Bach c Markus Müller d Simone Bach e Maria Müller f Orhan Arslan g Maria Müller, Markus Müller

11 b *Angelika* geht heute Abend aus. c *Angelika* sieht heute Abend nicht fern. d *Thomas* sieht heute Abend fern.

12 b *Du kommst* in die Kantine mit. c Wir gehen morgen Abend aus. d Ihr seht heute Abend fern.

14 a fernsehen b Im Internet surfen.

15 a sehen, fern b 97 c telefonieren d Zeitungen e schlafen, aus f 48

16 a heute b euch c Käufer d Frau e traurig f Reue g freuen h Laute

Test

1 a sehr gern b nicht gern c sehr gern d nicht gern

2 a Mona will Deutsch studieren. b Ich kann heute nicht mitkommen. c Warum magst du keine Hunde? d Wir müssen Sport machen. e Ich schlafe morgen aus. f Peter sieht im Wohnzimmer fern.

Kapitel 6

1 a Wo, in b woher, aus c Wohin, nach

2 a einen schwarzen Tee mit Milch. b Journalistin. c München. d Berlin. e London.

4 a A b A c P d P e A f A g P

5 a der b einen neuen c ein tolles d einen

6 a in Europa, in München b aus Deutschland, aus Bern c in die Schweiz, nach Amerika, nach Linz, nach Österreich

7 a aus, in, nach b in, in, aus, in

9 die *Anwältin* – der Arbeiter – der Architekt – die *Ärztin* – die *Bäuerin* – die Dolmetscherin – der Ingenieur – die Journalistin – die Künstlerin – die Managerin – der Musiker – der Pilot – der Richter – der Schauspieler – die Sekretärin – die Soldatin – die Verkäuferin – der Wissenschaftler

10 a große b lustigen c schwarze d rote

11 a schnelles b kluger c freundliche d Alte

12 a eine kluge b den netten c große d das kleine

13 a Ein intelligenter b Die kluge c Der intelligente d die kluge e keinen netten f Die kluge, den intelligenten

14 b sprechen c lesen d geben e schlafen f einladen g einschlafen

15 a lese b schläfst, ein c läuft d fährt e schläft f essen g seht, fern h sprechen i helfen

16 a Fast sieben Millionen Ausländer leben in Deutschland. b Die meisten Einwanderer kommen aus Europa. c 854.957 Menschen aus Asien leben in Deutschland. d Der *Döner* ist typisch für Berlin. e Deutsche Kinder lieben amerikanisches Fast Food.

18 **Vokal:** sprechen, Europa, Frau, Autorin, Reise, anrufen **Konsonant/Wortende:** arbeiten, Autor, durch, Schwester, morgen

Test

1 aus, in, nach

2 a die Künstlerin b der Manager c die Ärztin

3 a kleine b freundlichen c nette d intelligente

4 a das kleine b die freundlichen c die nette d einen intelligenten

5 a schläft b isst

Kapitel 7

1 b Mittwoch, 10 c Montag, 18 d Samstag, 9 e Dienstag, 8 f Donnerstag, 14 g Sonntag.

2 Woche 2: 8., Montag – 12 Uhr Squash mit Martin; 9., Dienstag – 19 Uhr Theater; 10., Mittwoch – keine Termine; 11., Donnerstag – 11 Uhr Café; 12.–14., Freitag bis Sonntag – Dienstreise nach München

3 a Tennis b Regen c Kino d 20 e Kollegin f Melanie

5 a Kino b Restaurant c Bar d Club e Park
   f Hause
6 a war b warst c war d waren e wart
7 a Es ist acht Uhr. b Es ist halb zehn. / Es ist
   9 Uhr 30. c Es ist Viertel nach zwölf. / Es ist
   12 Uhr 15. d Es ist Viertel vor fünf. / Es ist
   16 Uhr 45. e Es ist zehn Minuten nach
   drei. / Es ist 15 Uhr 10. f Es ist 20 Minuten
   nach elf. / Es ist 23 Uhr 20.
8 b Schwester Sabrina c 14:10 d 17:55
   e Tante Hilde und der Termin f 23:25
   g um 9:55 und 19:50.
9 a war, waren, war, war, waren, warst
   b hatte, hatten, hatte, hatten, Hattest
11 a zwölfte b zweite März. c ist der
   sechsundzwanzigste April. d Morgen ist
   der einunddreißigste Juli. e Gestern war
   der dreißigste August.
13 a du ins Kino gehen? b Ich möchte am
   Dienstagabend ins Kino gehen. c Dienstag
   ist der 17. März. d Ich habe auch am
   Mittwoch Zeit. e Der Film fängt um 19
   Uhr 30 an.
14 a R b F c F d R e R
16 a
   Anwalt b Fenster c schlafen d Schwester
   e Wind f Beruf g Wohnung h Schweiz
   i schwimmen j kaufen k Bratwurst
   l Wörterbuch m Sofa n Flug o fahren
   p Mittwoch q Weißwein r Woche

Test

1 a am b elf c vor d 8 e achtzehnten
   f Sommer g dritte f nachmittags
2 a warst b war c waren d war e wart
   f waren
3 a hatte b hattest c hatte d hatten
   e hattet f hatten

Kapitel 8
1 a am Wochenende b gestern
   Abend c heute d morgen
2 a gemacht b gesehen c getragen
   d ausgesehen e gegessen f gekauft
   g getrunken
4 a Sabine b Katja c Katja d Katja e Sabine
   f Katja
5 a eine b einen c kein d keine
6 a dich b mich c sie d ihn e sie f es

7 a habe b hast c hat d hat e haben
   f habt g haben
8 b Ich habe eine Suppe gegessen.
   c Ich habe einen Wein getrunken.
   d Ich bin ins Kino gegangen.
   e Ich habe einen Film gesehen.
9 anrufen, arbeiten, aussehen, brauchen,
   drucken, einladen, essen, finden, fragen,
   geben, helfen, holen, lesen, sagen,
   sprechen, trinken, treffen, wohnen
11 a Was b Was c Was d Wen e Wen
12 a Wer b Wer c Was d Wer e Wen
13 a sie b es c dich d mich e ihn f sie
   g euch h uns i Sie
14 a Professionelle Kleidung braucht man als
   Anwalt, Kaufmann/-frau und in einigen
   anderen Berufen. b Für Männer ist ein
   Anzug mit einem Hemd richtig. c Frauen
   tragen einen Rock mit Jacke und eine
   dezent-elegante Bluse oder einen
   Hosenanzug. d Professionelle Kleidung
   sollte intakt, sauber und modisch sein.
16 a oben b passen c Lampe d tanzen
   e wieder f Artikel g Kern h gestern
   i kaufen j Park k Brei l grau
   m Mikrowelle n Tour o Barbier

Test

1 a Ich habe den Kuchen gegessen.
   b Nina hat gestern gearbeitet.
   c Wann habt ihr ferngesehen?
   d Du hast zu viel Bier getrunken.
2 a Wer b Was c Wen d Was
3 a sie b es c ihn d sie

Kapitel 9
1 a Silke M. b Silke M. c Sven M. d Ines S.,
   Jens S. e Silke M. f Ines S. g Silke M., Sven
   M., Ines S., Jens S.
2 a waren b hatten c sind d sind e haben
   f Haben
4 e
5 a einen leckeren b einen kleinen,
   einen c eine große d keine frischen
6 Griechischer Salat mit Schafskäse und
   Oliven 5,50 €, Mediterraner Salat mit
   Meeresfrüchten 8,30 €, Apfelstrudel mit
   Vanillesoße 4,20 €, Rote Grütze 4,50 €,
   Mineralwasser (mit Kohlensäure) 3,00 €,

Mineralwasser (ohne Kohlensäure) 3,00 €, Flasche Weißwein (Riesling) 22,70 €

7 **a** gefahren **b** angekommen **c** gewandert **d** geschwommen **e** ausgegangen

8 **a** *bist*, sein, Bewegung **b** habe, haben **c** ist, sein, Veränderung **d** ist, sein, Bewegung **e** habt, haben **f** sind, sein, Bewegung **g** hat, haben **h** Ist, sein, Bewegung; bin, sein, Bewegung **i** habe, haben **j** ist, sein, Veränderung; ist, sein, Veränderung

9 **a** lieber **b** lieber **c** gern **d** gern **e** lieber **f** lieber **g** am liebsten **h** am liebsten **i** am liebsten

10 **a** *einen Kuchen*: O **b** *wir*: S, *ein Auto*: O **c** *der Kellner*: S, *einen guten Wein*: O **d** *wen*: O, *ihr*: S **e** *Maria*: S, *eine Hose*: O **f** *den roten Rock*: O, *Maria*: S **g** *was*: O, *du*: S **h** *ich*: S, *einen Film*: O

11 **a** um **b** durch **c** für **d** ohne **e** gegen

12 **a** um **b** gegen **c** durch **d** um

13 **a** dich **b** ihn **c** sie **d** mich **e** uns

14 **a** Deutschland ist weltbekannt für Bier und Wurst. **b** Im Norden ist Fisch beliebt, im Süden sind Spätzle und Schnitzel beliebt. **c** Zu einem typisch deutschen Frühstück gehören Brot, Brötchen, Käse, Wurst, Marmelade und Honig.

15 **a** Ich möchte einen Kaffee, bitte. **b** Welche Kuchen haben Sie? **c** Ich nehme gern einen Apfelstrudel.

16 **a** Abend **b** langweilig **c** Onkel **d** pünktlich **e** Zeitungen **f** finden **g** anfangen **h** Schränke **i** Hände **j** Lieblingsgetränke

Test

1 **a** sind **b** habe **c** bist **d** haben **e** seid

2 **a** gern, am liebsten, lieber **b** viel, mehr, am meisten

3 **a** S, O **b** S, O

4 **a** ohne **b** gegen **c** für **d** gegen **e** um

Kapitel 10

1 **a** Ursula **b** nächste Woche **c** ein Buch **d** Wir wissen es nicht. **e** Dietrich

2 **b** Du, einen neuen Roman **c** Du, einen guten Tipp, mir **d** Wir, einen Kuchen, ihr

4 **a** F **b** R **c** F **d** F **e** F **f** R

5 **a** meiner **b** meinen **c** der

6 **a** Silke **b** am Freitag, 15. Juni **c** um 19.30 Uhr **d** ??? **e** in Silkes Garten, Kastanienallee 35 **f** Fleisch und Gemüse vom Grill, leckere Salate und Kuchen. **g** Getränke

7 (**Musterantwort**) Liebe Silke,
vielen Dank für die Einladung zu deiner Geburtstagsparty!
Ich komme sehr gern und bringe auch Getränke mit.
Liebe Grüße *(IhrName)*

8 **b** 2 **c** 1 **d** 2 **e** 0 **f** 1 **g** 2 **h** 1 **i** 2 **j** 0

9 **a** meiner, eine **b** dem, keinen **c** meinem, einen **d** den, die **e** den, die

10 **a** aktuellen **b** neuen, tolle **c** lieben, schöne **d** netten, herzliche

11 **a** 2 **b** 4 **c** 1 **d** 5 **e** 3

12 **a** mit **b** von **c** zu **d** bei **e** nach

13 **a** mit dem Taxi **b** nach London **c** bei Freunden **d** zu einem Fußballspiel **e** von meiner Reise

14 **a** ihm **b** ihr **c** dir **d** mir **e** uns **f** euch

15 **a** Man feiert seinen Geburtstag mit Freunden und mit der Familie. **b** Man bringt den Kollegen Kuchen mit. **c** Mit 18 Jahren ist man in Deutschland volljährig.

18 Hamburg, Österreich, nehmen, benehmen, Kopfschmerzen, Kaufhaus, heiraten, verheiratet, Freitag, Wochentag, Geburtstag, langweilig

Test

1 **a** meinem, einen **b** dem, das **c** meiner, eine **d** meinen, die **e** den, das

2 **a** ihr **b** ihm **c** ihnen **d** wem **e** mir

3 **a** bei **b** nach **c** mit **d** von **e** zu

Kapitel 11

1

Wohin?	nach: Hamburg	
Woher?	von: Berlin	
Wie viele?	zwei Fahrkarten	
Wie?	hin und zurück (Berlin → + → Hamburg)	
	1. Klasse	
Wann?	Hinfahrt von Berlin nach Hamburg:	Rückfahrt von Hamburg nach Berlin:
	Abfahrt: um 8.16 Uhr	Abfahrt: um 18.07 Uhr
	Ankunft: um 9.56 Uhr	Ankunft: um 19.47 Uhr
Was?	Sie machen eine Dienstreise.	

2 **a** Angestellter **b** Lara Bauer **c** Angestellter
d Lara Bauer **e** Angestellter **f** Lara Bauer
g Angestellter

3 **a** Sie wollen nach New York fliegen.
b Ja, sie haben einen günstigen Flug
gefunden. **c** Das Flugzeug startet um
12.30 Uhr. **d** Ja, sie müssen in London
umsteigen.

4 **a** Das Flugticket kostet 119 €. **b** Ich fliege
am 8. Dezember nach Spanien. **c** Das
Flugzeug startet um 15.25 Uhr in Berlin.
d Das Flugzeug landet um 18 Uhr in
Barcelona. **e** Der Rückflug dauert
insgesamt 2 Stunden und 50 Minuten.
f Der Flug von Berlin nach Barcelona geht
direkt.

5 **a** neuer, am neuesten **b** schön, schöner
c alt, am ältesten **d** warm, am
wärmsten **e** kalt, kälter

6 **a** 1 **b** 4 **c** 3 **d** 2

7 **a** besser, am besten **b** gern, lieber **c** viel,
am meisten

8 **a** am jüngsten **b** älter als **c** jünger als
d so, wie **e** am ältesten

9 **a** Die erste Fahrt dauert 2 Stunden und 36
Minuten. **b** Der Zug fährt 6.52 Uhr ab.
c Man muss einmal umsteigen. **d** Die
Fahrt kostet 61 €. **e** Die zweite Fahrt ist
am billigsten. **f** Die zweite Fahrt ist am
schnellsten.

10 **a** Ich möchte eine Karte nach Stuttgart
buchen. **b** Hin und zurück, bitte. **c** Am
Dienstag, gegen 14 Uhr und zurück am
Freitag, gegen 19 Uhr. **d** Prima. Wie viel
kostet die Fahrkarte? **e** Mit Kreditkarte,
bitte.

11 **a** Die Intercity-Express-Züge sind am
schnellsten. Sie fahren 300 km/h. **b** Die
Regional-Express-Züge halten am
häufigsten an.

12 **a** Ziege, Züge **b** Tiere, Türe **c** Kühe, Küche
d Vögel, Möbel **e** Knopf, Knöpfe **f** groß,
größer

13 **a** küssen **b** stören **c** bügeln **d** Klöße
e Hüte

Test

1 **a** 4 **b** 2 **c** 3 **d** 1
2 **a** billiger **b** kleiner **c** älter **d** schneller

3 **a** am größten. **b** am kältesten.

Kapitel 12

1 **a** 2 **b** 1 **c** 6 **d** 3 **e** 4 **f** 5
2 **b** Angst, Prüfung **c** zufrieden, Feierabend
d Langeweile, klassische Musik **e** traurig,
Großmutter **f** wütend, Stau
3 **a** dir **b** mir **c** mir **d** mir **e** dir **f** ihm **g** ihr
4 **b** F, Jürgen weint, weil er traurig ist. **c** F,
Anna ist traurig, weil ihr Hund gestorben
ist. **d** R **e** R **f** F, Jürgen sucht zusammen
mit Anna nach seinem Hund.
5 **a** 2 **b** 1 **c** 3 **d** 5 **e** 4
6 **a** Sie hoffen, dass sie seinen Hund
finden. **b** Er ist traurig, weil sein Hund
weggelaufen ist. **c** Ich spiele kein Tennis,
wenn das Wetter schlecht ist. **d** Alex hat
Langeweile, wenn er klassische Musik
hört.
7 **a** Weil er traurig ist, bleibt er allein zu
Hause. **b** Weil sie froh ist, tanzt sie so
viel. **c** Weil Carmen wütend ist, schreit sie.
d Weil er Angst hat, weint er.
8 **a** passt **b** steht **c** tut, weh **d** fehlt
e schmeckt **f** gefällt **g** antwortet **h** gehört
9 **a** mir, mir, Ihnen **b** ihm **c** euch, uns **d** dir
10 **a** Der Professor hilft dem Studenten.
b Der Hund gehört den Eltern.
c Das Buch fehlt der Studentin.
d Der Rock steht der Frau sehr gut.
e Der Fisch schmeckt dem Kind nicht.
f Das Kind hört der Großmutter zu.
11 **a** der Schmerz **b** die Überraschung
c der Ekel **d** das Mitleid
13 Es ist alles in Butter.; Acht alte Ameisen
aßen am Abend Ananas.

Test

1 **a** glücklich **b** Angst haben **c** trauig
2 **a** 3 **b** 1 **c** 2 **d** 4
3 **a** Wir spielen Tennis, wenn es warm ist.
b Sie bleibt zu Hause, weil ihr Auto kaputt
ist. **c** Er ist glücklich, wenn er tanzt.
d Ich hoffe, dass der Wein gut schmeckt.
4 **a** dir, mir, mir **b** Ihnen
5 **a** schmeckt **b** passt **c** gefällt
6 **a** der Frau **b** der Studentin

Kapitel 13

1 **Uwe:** in einer Zweizimmerwohnung, mit Freund / Freundin; **Max:** in einem Haus, mit Familie (mit den Eltern); **Katja:** in einer WG, mit zwei Freunden; **niemand:** im Studentenwohnheim, allein

2 **Frau Adler:** allein, in der Stadt, in einer Wohnung; **Herr Bauer:** in einem Haus, mit Familie, auf dem Land

4 **a** kleinen **b** schmutzigen **c** alten **d** großen, ordentlichen Mitbewohnern **e** intelligenten, kleinen Kindern, faulen **f** lauten, guten **g** grünen und ruhigen **h** sauberen

5 aus, von, mit, bei, Seit, nach, zu

6 **a** Wo **b** Wohin **c** Wo **d** Wohin

7 **a** den, dem **b** das, dem **c** die, der

8 **a** legt, den Teller **b** sitzt, dem Sofa **c** hängt, dem Bett **d** die Kneipe **e** im Kino **f** liegen auf dem Tisch

9 **a** C **b** B **c** A

10 **a** 590 € **b** 400 € **c** 55 € pro Person pro Tag.

Test

1 **a** einem großen Haus. **b** einer alten Wohnung. **c** seiner netten Freundin zusammen.

2 **a** auf **b** zwischen **c** an **d** unter

3 **a** stellt **b** setzt **c** liegt

Kapitel 14

1 **a** ins Technikmuseum **b** zum Hauptbahnhof **c** ins Café

2 **b** Gehen Sie über die Brücke. **a** Biegen Sie links in die Waldstraße ein. **d** Gehen Sie geradeaus. **c** Gehen Sie am Kino vorbei.

3 im Restaurant

4 ins Kino

5 **2** Biegen Sie links in die Herderstraße ein. **3** Gehen Sie am Platz vorbei. **4** Biegen Sie rechts in die Waldstraße ein. **5** Dann biegen Sie links in die Kantstraße ein. **6** Da ist das …

6 **Waagerecht:** 3 Bank, 6 Café, 7 Restaurant, 8 Kino, 9 Kneipe, 10 Rathaus; **Senkrecht:** 1 Post, 2 Bahnhof, 4 Kirche, 5 Theater

7 **b** Er geht in die Kneipe. **c** Sie geht in den Club. **d** Sie gehen ins Kino. **f** Er ist in der Kneipe. **g** Wir sind im Café. **h** Sie ist im Club.

8 mit dem Auto, mit dem Flugzeug, mit dem Fahrrad, mit dem Taxi, mit der U-Bahn, mit dem Zug

9 **a** 4 **b** 3 **c** 1 **d** 2

10 **bis zu:** Gehen Sie bis zu dem Rathaus.; **über:** Gehen Sie über die Brücke.; **entlang:** Gehen Sie die Straße entlang.; **geradeaus:** Gehen Sie geradeaus.; **(nach) links:** Biegen Sie (nach) links in die Straße ein.; **(nach) rechts:** Biegen Sie (nach) rechts in die Straße ein.; **um die Ecke:** Gehen Sie um die Ecke.

11 **b** Gehen Sie geradeaus bis zur **Bahnstraße.** **c** Biegen Sie **rechts** in die Bahnstraße ein. **d** Gehen Sie **am Platz** vorbei. **e** Biegen Sie links **in die Kantstraße** ein. **f** Die Kneipe liegt auf der **rechten** Seite.

12 **a** Könnten / Würden Sie bitte schneller fahren? **b** Könnten / Würden Sie bitte langsamer sprechen? **c** Könnten / Würden Sie mir bitte das Buch geben? **d** Könnten / Würden Sie mir bitte sagen, *wo der Bahnhof ist?*

13 **a** 2 Milliarden **b** Die Deutsche Bahn ist für den Zugverkehr verantwortlich. **c** 40

14 Zug, U-Bahn, Straßenbahn, S-Bahn, Bus

15 BRD, DDR, USA

Test

1 **b** Gehen Sie über die Straße. **a** Gehen Sie geradeaus. **d** Biegen Sie rechts in die Kantstraße ein. **c** Gehen Sie an der Kirche vorbei.

2 **a** dem **b** dem **c** der

3 **a** in den Club. **b** ins Restaurant. **c** ins Café.

4 **a** Könnten / Würden Sie mir bitte helfen? **b** Könnten / Würden Sie uns bitte zwei Glas Wasser bringen?

Kapitel 15

1 **a** F **b** R **c** F **d** F **e** F

2 Schnupfen, Niesen

3 Der Hals tut ihm weh.

4   arbeiten

5   a Ä b Ä c AM d AM e AM f Ä g Ä h AM

6   a Kopf b Ohren c Augen d Nase e Mund
     f Zähne g Beine h Arme i Hände
     j Finger k Füße l Zehen

7   a 5 b 1 c 2 d 4 e 3

8   a Kopf b Händen c Füßen d Beinen
     e Augen

9   a Ich habe Halsschmerzen. b Ich habe
     Ohrenschmerzen. c Der Kopf tut mir weh.
     d Der Bauch tut mir weh. e Ich habe
     Zahnschmerzen.

10 a Wir waschen uns die Hände. b Ihr ruht
     euch aus. c Er verletzt sich. d Ich fühle
     mich nicht gut. e Richard erkältet sich.
     f Katharina schminkt sich. g Meine
     Freundin duscht sich. h Mein Freund
     rasiert sich im Gesicht. i Er zieht sich das
     Hemd an. j Sie ziehen sich die Jacke
     aus. k Wir fühlen uns gut.

11 mich, mir, mich, mir, mich

14 a Mach eine Computerpause! b Sitz nicht
     so lange auf dem Sofa! c Kauft euch neue
     Laufschuhe! d Esst nicht so viel
     Schokolade! e Hör nicht so laute Musik!
     f Schrei nicht so viel!

15 a

16 a 2 b 1 c 5 d 3 e 4 (→ translation S. 30)

17 **stimmhaftes „S":** Sagen, Sie, sind, gesund,
     sich, Hustensaft, Suppe, super;
     stimmloses „S": Husten, Hast, Hustensaft
     gegessen, Essen, Das, Eis, ist, verpasst;
     „sp/st" = sch: schlecht, Schnupfen,
     Strudel, Nachtisch, spät

Test

1   a Fieber b Rückenschmerzen
     c Halsschmerzen

2   a 3 b 1 c 4 d 2

3   a Sieh nicht so viel fern! b Mach die Musik
     leiser! c Trink Hustensaft!

Kapitel 16

1   a gab b spielten c schrieb d hörte

2   a 3, Gummibärchen b 1, Fabeln
     c 2, Märchen

3   war, hatte, wollte, sagten, wollte, sagten,
     durfte, waren, musste, durfte

5   a lernte b fragte c antwortete d sagte
     e legtest f arbeitetet g lebten

6   b Er isst Müsli zum Frühstück. c Er duscht
     sich. d Er zieht sich an. e Er fährt mit
     dem Auto zur Arbeit. f Er arbeitet. g Er
     kommt nach Hause. h Er sieht fern. i Er
     schläft ein.

7   a ging b stand, auf c fand d hatte e war
     f verpasste g kam

8   a musste b konnte c sollte d war
     e mochte f hatte

9   hieß, trug, wollte, traf, ging, legte, fragte,
     antwortete, sprang, fraß, auf

10 a Wann b Als c Wenn d Wann e Wenn
     f Als

11 b Womit hört man? c Womit isst man?

12 b Man hört damit. c Man isst damit.

13 a Womit, damit b Woran, daran c Worauf,
     darauf

14 **lang:** stehen, lesen, Schnee; **kurz:** fressen,
     Bett; **schwach:** durfte, bitte, Porsche

Test

1   a 3 b 1 c 4 d 2

2   a stand, auf, duschte, ging b spielte c war

3   „Damit ich dich besser sehen kann!"

Kapitel 17

1   a F b R c F

2   a S b J c J

3   Wetterbericht a

4   a Die Sonne scheint., Es ist sonnig., Es ist
     warm. b Es gibt Regen., Es regnet., c Es
     gibt Schneefall., Es ist kalt., Es schneit.
     d Es ist bewölkt. e Der Wind weht.
     Es ist windig., Es ist stürmisch. f Es ist
     neblig.

6   a 2 b 5 c 1 d 4 e 6 f 3

7   a würde b kaufen c würde d kaufen
     e würden f geben g würde h arbeiten
     i würden j reisen k würde l kaufen

9   a möchte b Könnten c hätte d hätte
     e Könnten f Dürfte g wäre h möchten

10 c

11 – Guten Tag, Frau Kluger!
     – Guten Aben<u>d</u>, Herr Raa<u>b</u>. Ich muss mich
        auf den We<u>g</u> machen. Es ist schon hal<u>b</u>
        sieben. Mein Zu<u>g</u> fährt heute Aben<u>d</u> um
        hal<u>b</u> acht ab.

Test

1 **a** würde **b** fahren **c** würde / machen
2 **a** möchte **b** hätte
3 **a** sonnig, warm **b** regnet
4 **a** würde **b** könnte **c** wäre

Kapitel 18

1 **a** bei ihrer Tante Hilde **b** im Hotel **c** bei Julias Tante Hilde **d** Die Hotelzimmer sind zu teuer.
2 **a** F **b** R **c** R **d** F **e** R
3 **a** Nächte **b** Doppelzimmer **c** inbegriffen **d** Reise
4 **a** Guten Tag, ich möchte gern ein Zimmer. **b** Ich möchte gern ein Einzelzimmer. **c** Wie viel kostet es? **d** Ist das Frühstück inbegriffen? **e** Ich möchte gern vier Nächte bleiben. **f** Kann ich mit Kreditkarte zahlen?
5 **a** 6 **b** 2 **c** 3 **d** 5 **e** 4 **f** 1
6 **a** m **b** Pl. **c** Pl. **d** f **e** n **f** f **g** f **h** m
8 **a** an der Ostsee Urlaub *zu machen*. **b** heute Abend ins Kino zu gehen? **c** mit dir einen Kaffee zu trinken. **d** ins Restaurant zu gehen. **e** Schnitzel zu essen. **f** morgen mit Peter nach Düsseldorf zu fahren.
9 **a** ich habe keine Zeit, noch einen Kaffee zu trinken. **b** ich habe keine Lust, im Meer zu schwimmen. **c** mit dir ins Kino zu gehen!
10 **a** 2 **b** 5 **c** 4 **d** 6 **e** 1 **f** 3
11 **a** Sie geht zur Apotheke, um Medikamente zu kaufen. **b** Ich rufe an, um einen Termin zu machen. **c** Ihr geht ins Kaufhaus, um neue Schuhe zu kaufen. **d** Er reist nach Deutschland, um Deutsch zu lernen. **e** Wir gehen ins Restaurant, um gut zu essen. **f** Sie packt ihren Badeanzug ein, um schwimmen zu gehen.
12 **a** wirst **b** wird **c** werden **d** werdet **e** werde
13 **a** Ich werde morgen die E-Mail schreiben. **b** Ich werde morgen meine Mutter anrufen. **c** Ich werde morgen das Buch lesen. **d** Ich werde morgen die Reise buchen. **e** Ich werde uns morgen ein Hotelzimmer reservieren.

14 **a** in Deutschland **b** an das Mittelmeer **c** nach Nord- und Südamerika

Test

1 **a** Urlaub **b** schwimmen **c** Hotel **d** reserviert **e** Kreditkarte
2 **a** 3 **b** 1 **c** 2
3 **a** wird / spielen **b** werde / schreiben

Kapitel 19

1 **a** geboren **b** Grundschule **c** Gymnasium **d** Abitur **e** Ausbildung **f** Studium **g** Praktikum **h** Berufserfahrung **i** Sprachkenntnisse **j** PC-Kenntnisse **k** Hobbys **l** Journalistin
2 **a** Bankkauffrau, Journalistin **b** bei dem *Tagesspiegel* **c** Sie interessiert sich für Menschen und ihre Geschichten. **d** an der Freien Universität **e** bei der *Berliner Zeitung*
4 **a** Marias **b** Pauls, Sie fährt Pauls Auto. **c** Uwes, Das ist Uwes Buch. **d** Uwes, Wo ist Uwes Hund?
5 **a** der Frau **b** des Kindes **c** des Hundes **d** der Musik **e** eines Kindes **f** einer Journalistin **g** eines Zuges **h** eines Autos
6 **a** meines Bruders **b** meiner **c** meines Sohnes **d** das Motorrad meiner Großmutter **e** die Brille meiner Tante. **f** die Katze meines Onkels.
7 meiner, meines Vaters, meines Bruders, meiner, meines Onkels
8 **a** 4 **b** 2 **c** 6 **d** 1 **e** 5 **f** 3
10 **a** alten **b** süßen **c** intelligenten **d** klugen
11 **a** die **b** der **c** das **d** die
12 **a** Julia hat eine Katze, die fünf Jahre alt ist. **b** Leo will ein Auto, das rot und schnell ist. **c** Max hat einen Chef, der streng ist. **d** Maria hat einen Computer, der nicht so schnell ist.
13 **b** das **c** das **d** das **e** das **f** die **g** der **h** die **i** der **j** die **k** die **l** der
15 **a** Ihr Lebenslauf ist interessant. ↘ **b** Sie haben eine Ausbildung zur Bankkauffrau gemacht? ↗ **c** Ja, → ich wollte Bankkauffrau werden. ↘ **d** Ich habe an der Freien Universität in Berlin studiert. ↘ **e** Haben Sie ein Praktikum gemacht? ↗

Lösungsschlüssel

f Ja, → in den Semesterferien habe ich ein Praktikum beim *Tagesspiegel* gemacht. ↘

16 a 2 Ich liebe DICH.

⠀⠀⠀3 Ich LIEBE dich.

⠀⠀⠀1 ICH liebe dich.

⠀⠀**b** 3 Die Katze SCHLÄFT gern.

⠀⠀⠀1 DIE KATZE schläft gern.

⠀⠀⠀2 Die Katze schläft GERN.

Test

1 a meiner **b** des, Mannes **c** der **d** meines, Freundes

2 a 2 **b** 3 **c** 4 **d** 1

3 a die **b** das **c** der

Kapitel 20

1 a R **b** F **c** R

2 a Anna **b** Sofie **c** Max

3 in die Alte Pinakothek

4 a F **b** F **c** F **d** F **e** R

5 a Das Auto wird in der Fabrik gebaut. **b** Das Haus wurde 1978 abgerissen. **c** Das Brot wird von einer Frau gekauft. **d** Die Bilder werden gemalt.

6 a backen **b** essen **c** kaufen **d** fahren **e** reparieren **f** zerstören

7 a wird **b** werden **c** werde **d** werden

8 a wurde **b** wurden **c** wurdest **d** wurden **e** wurde

9 b werden die Kartoffeln geschält. **c** werden die Kartoffeln geschnitten. **d** werden die Kartoffeln gebraten. **e** werden die Bratkartoffeln gegessen.

10 a wird vom (= von dem) Mechaniker repariert **b** wird von der Taxifahrerin gefahren **c** wird von der Köchin gekocht **d** wird von den Künstlern gemalt **e** wird vom Chef gelesen

11 a *von* Albert Einstein **b** von Martin Luther **c** von Karl Friedrich Benz **d** von Wolfgang von Goethe **e** von Ludwig van Beethoven **f** Angela Merkel

12 wurde … gebaut, wurde … zerstört, wurde … bombardiert, wurden … abgerissen, wurden … gebaut, wurden … genannt

13 a wo die Neue Pinakothek ist? **b** wann die Kirche gebaut wurde? **c** wer das Bild gemalt hat? **d** *ob* das die Pinakothek der Moderne ist? **e** ob das Bild von Picasso gemalt wurde?

14 a Alte Pinakothek, Neue Pinakothek, Pinakothek der Moderne **b** in das Deutsche Museum **c** Der Englische Garten ist 3,75 km² groß. **d** Surfen

Test

1 a gebacken **b** repariert **c** bombardiert **d** gemalt **e** geschrieben

2 a wird, gelesen **b** wird, geschrieben **c** wurden gegessen

3 a wo das Museum ist? **b** wer das Bild gemalt hat?

Hörtexte Listening texts

Unit 1
Test

Bärbel	Mein Name ist Bärbel. Ich wohne in Schwerin. S –C –H – W – E – R – I – N.
Jörg	Grüezi, Bärbel! ich bin Jörg. Ich wohne in Zürich. Z – Ü –R –I –C –H. Ich komme aus der Schweiz.
Bärbel	Hallo Jörg, das ist Olaf. Olaf wohnt in Gießen.
Jörg	Guten Tag, Olaf. Wo ist Gießen? Ist das in Deutschland?
Olaf	Ja, ich komme aus Deutschland.
Bärbel	Und das ist Sascha. Saschas Hobby ist Musik.
Jörg	Hallo, Sascha. Wo wohnst du?
Sascha	Servus, ich wohne in Salzburg. S – A – L – Z – B – U – R – G.
Jörg	Aha, du wohnst in Österreich?
Sascha	Ja, ich komme aus Österreich. Jörg, was ist dein Familienname?
Jörg	Mein Familienname ist Maar. M – A – A – R. Und was ist dein Familienname, Sascha?
Sascha	Mein Familienname ist Gros. G – R – O – S.
Jörg	Ich muss zum Fußballtraining. Auf Wiedersehen!
Bärbel	Tschüss!
Sascha	Bis bald, Jörg!

Unit 2
13

Boris	Guten Tag! Ich bin Boris Janukow. Wer sind Sie?
Sie	Ich bin Carmen Burger.
Boris	Ich bin 21 Jahre alt. Wie alt sind Sie?
Sie	Ich bin 34 Jahre alt.
Boris	Was ist Ihre Adresse?
Sie	Meine Adresse ist Breite Straße 171.
Boris	Und was ist Ihre Telefonnummer?
Sie	Meine Telefonnummer ist 89785030.
Boris	Danke! Auf Wiedersehen!

Unit 5
10

Maria	Markus, guten Abend!
Markus	Hallo Maria! Wie geht's?
Maria	Danke, gut. Markus, kennst du Herrn Arslan?
Markus	Ja, ich kenne Herrn Arslan. Er ist dein neuer Kollege.
Maria	Herr Arslan macht gern Musik.
Markus	Kann er Klarinette spielen?
Maria	Nein, er kann nicht Klarinette spielen. Aber er kann Violine spielen.
Markus	Das ist gut. Ich glaube, Herr Arslan liest sehr gern?
Maria	Ja, Herr Arslan mag Thomas Mann. Und Frau Bach liest gern Kriminalromane. Sie kocht auch gern. Frau Bach kann sehr leckere Suppen machen.
Markus	Aber du kochst nicht gern, Maria. Oder?
Maria	Nein, ich koche nicht gern. Ich finde kochen langweilig. Und du, Markus?
Markus	Ich koche sehr gern. Aber ich kann nicht gut kochen. Meine Suppe schmeckt nicht gut.
Maria	Markus, ich will heute gern ein Schnitzel essen.
Markus	Dann müssen wir ins Restaurant gehen.

Unit 14
15

Bonn war die Hauptstadt der BRD. In der DDR sind viele Deutsche aufgewachsen. Sie kommt aus den USA.

Übersetzung der Übungsanweisungen und Erklärungen
Translation of the instructions and explanations

All the instructions, grammar and pronunciation explanations, as well as the short texts marked ❶, have been translated into English and appear in chronological order.

Unit 1   Hello! Good day!
In this unit you will learn: vocabulary: hellos and goodbyes; names; place of origin and place of residence; the alphabet; pronunciation: umlauts, ß – sch

Dialogue 1
The Müller Family
1   The Müller family introduce themselves. Listen and write down their names.

Listening
2   Four people introduce themselves. Listen and match.
3   Hellos and goodbyes: listen. Match the names.

Grammar
The German alphabet
Listen to the alphabet and repeat.
4   Listen and repeat.
5   Listen and write down the names.
6   Listen and write down the cities.
7   Now it's your turn! Say the letters and write them.

Reading
The top ten first names in Germany (2011)
Read the names.

❶ Germany, Austria and Switzerland
German is spoken in Germany, Austria and Switzerland. The capital of Germany is Berlin. 80.2 million people live in Germany (2011). Austria's capital is Vienna. 8.4 million people live in Austria. Bern is the capital of Switzerland. 7.9 million people live in Switzerland.
This is the German flag:
This is the Austrian flag:
This is the Swiss flag:
8   Fill in.

Pronunciation
Umlauts
Listen and repeat.
Listen and repeat.
9   Listen and write down the country.
ß – sch
Listen and repeat.
10   Listen and repeat.
11   What is it? Listen and write down the word.

Test
1   Listen to the text two to three times and write down the answers.
Super!

Unit 2   Who are you?
In this unit you will learn: vocabulary: age, address, telephone number; the numbers; personal pronouns; conjugation; the verb *sein*; pronunciation: *st/sp* at the start of a word

Dialogue 1
At university
Anna speaks to a student.

Dialogue 2
Anna and Claire speak to Boris.
1   Match.

Listening
In the café
2   Anna, Claire and Boris are sitting in the café. Listen and match.
3   Anna, Claire and Boris say where they live. Match the names.
4   What is wrong? Correct.

Grammar
Personal pronouns
5   Fill in the pronouns.

❶ you, you, you
In German there are three forms for the 2nd person. You use "du" or "ihr" (the informal form) for children, family members and friends. For strangers or older people you say "Sie" (the formal form).

The infinitive
All verbs have an infinitive form. It is the basic form. Infinitives end with *-(e)n*.
6 What is the infinitive?
Conjugation
7 Add (Fill in) the endings.
8 Match.
The verb *sein*
9 Match.
The numbers
Listen to the numbers 1–20 and repeat.
10 How many? Write down the number.
Listen to the numbers 21–30 and repeat.
Listen and repeat.
11 Maths. Write down the numbers.
12 Listen. Write down the telephone numbers.
13 Now it's your turn! Listen and answer.

Reading
Ms Richter
This is Ms Richter's ID card. Ms Richter is from Germany.
14 Answer the questions.

Pronunciation
st/sp at the start of a word
Listen and repeat.
15 Read aloud. Listen to check your answers.

Test
1 Write down the endings.
2 Write down the form of *sein*.
3 Write down the numbers.
Very good!

Unit 3   What is that?
In this unit you will learn: vocabulary: the flat; colours; the definite article *der/die/das*; singular and plural; the indefinite article *ein/eine, kein/keine*; pronunciation: *ch*

Dialogue 1
A new flat
Susanne and Peter have a new flat. Susanne's mother Gertrud is visiting them.
1 Match.

Listening
In the study
2 A friend is visiting Susanne. Correct the sentences: true or false?

3 Now it's your turn! What do you have in your flat/house? Write it down.

Grammar
The definite article: *der/die/das*
Nouns have articles:
* *der* for masculine nouns
* *die* for feminine nouns
* *das* for neuter nouns
* *die* for plurals
A People
B Things
4 Complete using *der*, *die*, *das* or *die*.
Singular and plural
5 Match and mark the plural endings.
6 What is the singular form?
7 What is the plural form?
Colours
The indefinite article: *ein/eine, kein/keine*
8 What is that? Write sentences.
9 What is that? Listen.

Reading
Buying furniture
10 What is there? Tick the boxes.
11 Answer the questions.
ⓘ A German dictionary
In a German dictionary there is information about all German words. For example, about articles and nouns.

Pronunciation
ch
Listen and repeat.
after *a/o/u/au*
after *e/i/ä/ö/ü/äu/eu*/consonant
12 Listen and match.

Test
1 Match.
2 Fill in the singular or plural.
Excellent!

Unit 4   Who is that?
In this unit you will learn: vocabulary: the family; possessive articles (*mein, dein, sein* …); subject and verb; *w*-questions; yes/no questions; subject and object – nominative and accusative; pronunciation: *ei – ie*

Dialogue 1
My family
The Müllers describe their family.
1 Match.
2 Complete the table.
3 What is your pet like? Describe.
4 Now it's your turn! What is your family called? Answer.

Listening
The birthday party
5 It's Grandfather Erich's birthday. Anna and her boyfriend Marco are at his birthday party. Who drinks what? Connect.
6 What is correct? Tick the boxes.
🛈 Apple juice with mineral water
A *Schorle* is juice mixed with mineral water. There are lots of different kinds, but *Apfelschorle* is the best known.

Grammar
Possessive articles
7 Aunt Hilde asks Uncle Freddy about his family. Fill in the endings.
8 Now Anna asks Marco about his family. Fill in the possessive articles. Take care with the endings.
9 Fill in the possessive articles. Take care with the endings.
Subject and verb
verb = position 2
10 Fill in the subject. Take care with the verb.
W-questions
11 Write *w*-questions.
12 Write *w*-questions and answers.
Yes/no questions
yes/no questions: verb = position 1
13 Complete the question or the answer.
14 Listen. Marco asks questions. Answer them. Listen afterwards and check your answers.
Subject and object – nominative and accusative
15 Mark the object. Translate.
16 Everything is accusative. Fill in the endings.
17 Nominative and accusative: Fill in the endings.

Reading
The author and the politician
18 Who is it – Nilgün Tasman or Ursula von der Leyen?

Pronunciation
ei – ie
Listen and repeat.
19 Read aloud. Listen to check your answers.

Test
1 What is correct?
2 Fill in the possessive articles.
3 Fill in the endings.
Great!

Unit 5   What are your hobbies?
In this unit you will learn: vocabulary: hobbies; verb + *gern/sehr gern/nicht gern*; modal verbs: *müssen, wollen, können, mögen*; separable verbs; pronunciation: *au – eu/äu*

Dialogue 1
Lunch in the canteen
Maria Müller is on her lunch break. She is eating with her new colleagues in the canteen. They are talking about their hobbies.
🛈 The canteen
The canteen is similar to the university cafeteria – there are different dishes at fairly low prices and you eat together in a large dining hall.
1 Match.
2 Who says what? Match.
3 Now it's your turn! Do you like to read? Who is your favourite author?

Listening
Lunch in a restaurant
4 Anna, Claire and Boris are in a restaurant. They're talking about their hobbies. Who says what? Anna, Claire or Boris?
5 Answer with a sentence.
6 Now it's your turn! Where do you go in your free time?

Grammar
Verb + *gern/sehr gern/nicht gern*
7 What do you like, like a lot or not like?
8 Now it's your turn! Answer.

Modal verbs

modal verb = position 2, infinitive = end

9 Now it's your turn! What do you have to do, want to do, what are you able to do and what do you like to do?

10 Maria Müller is talking to her husband, Markus Müller. Listen. Fill in the names.

Separable verbs

11 Answer.

12 Make sentences.

13 Now it's your turn! Answer.

Reading

Germans' free time activities

14 Answer.

15 Complete.

Pronunciation

au – eu/äu

Listen and repeat.

16 Which word do you hear?

Test

1 Fill in: *sehr gern* or *nicht gern*.

2 What is correct?

Great!

Unit 6   Where are you from?

In this unit you will learn: vocabulary: jobs, countries and continents; prepositions with *Wo? Woher? Wohin?*; occupations with the ending *-in*; adjective endings in the nominative and the accusative; verbs with a vowel change; pronunciation: the German *r*

Dialogue 1

On the plane

Anna Wagner is sitting on the plane and reading a book. A man is sitting beside her.

Dialogue 2

The plane lands and the passengers disembark. Anna and the man continue talking.

1 Match.

2 What is correct?

3 Now it's your turn!

Listening

In the restaurant

4 Anna Wagner and Peter Sterling meet in a restaurant. Who is it, Anna or Peter?

5 Listen closely. What is correct?

Grammar

Prepositions with: *Wo? Woher? Wohin?*

Cities (Berlin), countries (Germany), continents (Europe)

Buildings (the house, the cinema), rooms (the canteen), countries which take an article (Switzerland, the USA)

6 What fits? Match.

7 Which preposition: *in*, *nach* or *aus*?

Countries and continents

8 Now it's your turn! Answer the questions.

Jobs with the ending *-in*

Many occupations have a feminine form. It is formed by adding *-in* to the masculine form. Sometimes the basic form changes.

9 Complete the table.

You can find more job titles in a dictionary.

Adjective endings in the nominative:

der/die/das

der/die/das + adjective + noun → ending *-e* in the singular, *-en* in the plural

10 Fill in the endings.

Adjective endings in the nominative: *(k)ein/(k)eine*

(k)ein/(k)eine + adjective + noun → ending *-er (der)/-e(die)/-es(das)*

Plural: *keine* + adjective + noun → ending *-en*

11 Fill in the endings.

Adjective endings in the accusative

masculine: *den/(k)einen* + adjective + noun → ending *-en*

neuter/feminine/plural: accusative = nominative

12 Fill in the endings for the objects.

13 Nominative or accusative? Fill in the endings.

Verbs with a vowel change

14 What is the infinitive?

15 Fill in the form of the verb.

Reading
Foreigners / Immigrants in Germany
16 Answer the questions.
17 Now it's your turn! Answer the questions.
ⓘ Where are you from?
Germany has 16 federal states. Many Germans will often say which part of Germany they are from. They like talking about different dialects and regional differences.

Pronuncation
The German *r*
Listen and repeat.
18 Tick the correct box.

Test
1 Which preposition: *in, nach* or *aus?*
2 Complete.
3 Nominative: Fill in the endings.
4 Accusative: Fill in the endings.
5 Fill in the form of the verb.
Superb!

Unit 7   When will we meet?
In this unit you will learn: vocabulary: the week, the year; the time; the date; simple past: *ich war, ich hatte*; pronunciation: the consonants *f – v – w*

Dialogue 1
On the phone
Anna Wagner is a journalist. She would like to write an article about the young author, Clara Magnus. She phones the author.
This is Anna Wagner's diary:
1 Look at the diary and week 1. Answer.
2 Write Anna's appointments for week 2 in the diary.

Listening
On a mobile phone
3 Matthias is walking in the rain to the bus stop. He calls his friend Jan. Complete.
4 What do you think?

Grammar
The year
The year has four seasons.
spring, summer, autumn, winter
A year has 12 months.
The months are called:

The week
A week has seven days.
The days are called:

Listening
What happened yesterday evening?
5 It is 10 a. m. Matthias is still sleeping. His friend Jan calls him. Answer.
6 Complete.
The time
7 What's the time? / What time is it? Complete.
8 When? At what time? Complete.
ⓘ TV and radio
There are two types of TV and radio channels in Germany: the state or so-called public broadcasters and the private stations. The most important state channels are *ARD* and *ZDF*; the best-known private channels are *RTL, Sat 1* and *Pro 7*. There are a lot of radio channels, as every region has its own local broadcaster. However, *Deutschlandradio* and *Deutsche Welle* are important throughout the whole country.
Simple past: *sein, haben*
The *Präteritum* is the simple past form of a verb.
9 Fill in the verbs.
10 Now it's your turn!
The date
11 Answer.
12 Now it's your turn!
13 Listen. You want to go to the cinema. You invite a friend. The friend asks some questions. Answer. Listen afterwards and check your answers.

Reading
Crime stories in Germany
14 True or false?
15 Answer.

Pronunciation
The consonants *f – v – w*
Listen and repeat.
16 Listen. Complete using *f* or *w*.

Test
1 This is Karl's diary. What is correct?
2 Complete.
3 Fill in the forms of *haben* in the simple past.
Excellent!

Unit 8   What did you buy?

In this unit you will learn: vocabulary: clothes, shopping; the perfect tense: construction, word order, past participle; *Wer? Wen? Was?*; personal pronouns in the accusative; pronunciation: the consonants *p – b, t – d, k – g*

Dialogue 1

What did you do yesterday evening?
Sabine and Katja are colleagues. They know each other well. Sabine asks what Katja and her husband did the previous evening.
1 Answer.
2 Complete.
3 Now it's your turn! Answer.

Listening

In the department store
Katja and Sabine are in a department store. Katja can't see Sabine.
4 Tick the correct boxes.
5 What does Katja buy? Complete using *ein / eine / einen* or *kein / keine / keinen*.
accusative masculine:
6 Listen closely. Fill in the pronouns in the accusative.
Clothes
🅘 Shopping
Shops and shopping centres are open in Germany from Monday to Saturday. The main opening hours are generally 10 a.m. till 6 or 8 p.m. Some bakers also open on Sundays, in order to sell fresh rolls and bread. Shops are also often open on Sundays in train stations.

Grammar

The perfect: construction
The perfect is a second past tense form.
7 Complete using forms of *haben*.
The perfect: word order
8 Answer. Make sentences.
The perfect: past participle
A Normal verbs
B Separable verbs
C Inseparable verbs
These prefixes are always inseparable:
D Verbs with *-ieren*
E Irregular verbs

9 Write the infinitive.
10 Now it's your turn! Answer using the perfect.
Wer? Wen? Was?
11 Objects: *wen?* or *was?*
12 What is correct? Underline the answer.
Personal pronouns in the accusative
13 Fill in the personal pronouns in the accusative.

Reading

Professional clothes at work
14 Answer the questions about the text.
15 Now it's your turn! Answer.

Pronunciation

The consonants *p – b, t – d, k – g*
Listen and repeat.
16 Listen. Fill in: *p* or *b, t* or *d, k* or *g*?

Test

1 What is correct?
2 Fill in: *Wer?, Wen?* or *Was?*
3 Complete using personal pronouns in the accusative.
You've done very well!

Unit 9   What do you most like to eat?

In this unit you will learn: vocabulary: food, restaurant; the perfect tense with *sein*; *gern – lieber – am liebsten, viel – mehr – am meisten*; revision: subject and object; prepositions with the accusative; pronunciation: the consonant pairs *n – ng – nk*

Dialogue 1

What would you like to drink?
The Meiers and Schulzes are good friends. They went to the cinema together. Afterwards they were hungry, so they went to a restaurant. Three minutes later …
1 Who orders what?
2 Read the text again. Complete.
3 Now it's your turn! Answer.

Listening

What desserts are there?
4 The married couples the Meiers and the Schulzes have eaten. The waiter comes back to the table. What dessert does Silke Meier have?

5 Complete using the accusative endings.

Dialogue 3

6 The Meiers and Schulzes have eaten their dessert. They would like to pay. Fill in the prices.

ⓘ Tips

You pay the tip together with the bill. If you don't want to receive any change you say "*Es stimmt so, danke.*", or you name the amount that you want to pay, e. g. "*Zwölf Euro, bitte.*" if the bill is for € 11.

Grammar

The perfect with *sein*

Some verbs of movement form the perfect with *sein*.

A Movement: A → B

B A change

Also some verbs which express a change of state form the perfect with *sein*.

7 Complete using the appropriate participle.

8 Complete: *sein* or *haben*?

gern – lieber – am liebsten, viel – mehr – am meisten

9 What do Christina and Volker say? Listen and complete.

Revision: nominative and accusative

You know:

10 Subject or object? Write S or O.

Prepositions with the accusative

You generally use *ohne* without an article.

11 Complete using the prepositions.

12 *Um, gegen* or *durch*? Complete.

13 Fill in the personal pronouns in the accusative.

Reading

German cuisine

14 Answer the questions about the text.

15 You're in a café. Listen and answer. Listen afterwards and check your answers.

Pronunciation

The consonant pairs *n – ng – nk*

Listen and repeat.

16 Listen. Fill in: *n, ng* or *nk*.

17 Listen and read aloud.

Test

1 Perfect with *sein* or *haben*? Complete.

2 Complete.

3 Subject or object?

4 Complete.

Moving on to unit 10!

Unit 10   How will you celebrate?

In this unit you will learn: vocabulary: birthdays, having a party; direct and indirect object – accusative and dative; articles in the dative; adjective endings in the dative; personal pronouns in the dative; prepositions with the dative; pronunciation: word stress

Dialogue 1

What should I give her?

It's Ursula's birthday soon. Dietrich and her brother Paul are talking about the party and about presents.

1 What is correct?

2 Find the answer.

3 Now it's your turn! Answer.

Listening

Whose cake is it?

4 Ursula is celebrating her birthday. Her brother Paul is also at the party. There he meets Silke. True or false?

5 Listen closely. Which ending is correct?

An invitation to a party

Paul has received an invitation to a birthday party.

6 Answer.

7 Now it's your turn! Write an email reply.

Grammar

Direct and indirect object – accusative and dative

Every sentence has a subject.

A sentence can have an object.

A sentence can have two objects.

8 How many objects are there? Tick the boxes.

Articles in the dative

The possessive pronouns follow the same pattern.

9 Dative or accusative? Complete.

Adjective endings in the dative

Nouns in the dative plural get an extra -*n*

10 Listen. Complete using the adjectives.
Personal pronouns in the dative
11 Jens was on holiday. Dietrich asks him what
he bought. What fits together?
Prepositions with the dative
The prepositions *bei, mit, nach, von* and *zu*
always take the dative.
12 Complete.
13 Sandra is talking about her holiday.
Complete.
14 Complete using the personal pronouns in
the dative.

Reading
Birthdays in Germany
15 Answer the questions about the text.

Pronunciation
Word stress
In simple German words the first syllable is
always stressed. That is the stem syllable. Listen
and repeat.
Following an inseparable prefix the stem
syllable is still stressed.
16 Listen and repeat.
17 Listen and repeat.
Names and words from other languages
sometimes have the stress on a different
syllable. There's no rule for this.
18 Listen. Which syllable is stressed? Underline.

Test
1 Dative or accusative? Complete.
2 Complete.
3 What is correct?
Congratulations!

Unit 11   Where are you travelling to?
In this unit you will learn: vocabulary: travel;
comparative and superlative; pronunciation:
umlauts *ö – ü*

Dialogue 1
Booking a business trip
Lara Bauer and Klaus Schubert have to book a
business trip from Berlin to Hamburg. Lara is
buying the tickets at the train station.
1 Read the dialogue again. Fill in the table.
2 Who says what? Tick the correct boxes.

Listening
Buying plane tickets
3 Johannes and Sylvia want to visit their son
Tim in the USA. They check on the internet
how they can best fly to New York. Listen
and answer the questions.
4 You would like to fly from Berlin to Barcelona. Look at the following offer and answer
the questions.

Grammar
Comparative and superlative
The comparative and superlative are used to
compare things.
A Forming the comparative
B Forming the superlative
5 Fill in the correct forms.
6 How big are the German cities? Match.
Comparative and superlative: irregular forms
Some adjectives have an irregular form.
7 Complete using the forms.
Comparative and superlative: structures
8 Complete using the comparative or the
superlative.
9 You are booking a journey on the internet.
Answer the questions.
10 You are buying a ticket. Listen and answer.
Listen afterwards and check your answers.

Reading
German Rail
11 Read the text and answer the questions.

Pronunciation
Umlauts *ö – ü*
Listen and repeat.
Listen and repeat.
12 Listen and add in the missing letters.
13 Which verbs are meant here? Listen and tick
the right word.
14 Listen and repeat.

Test
1 Match.
2 Complete using the comparative.
3 Complete using the superlative.
Bon voyage!

Unit 12   How are you feeling?

In this unit you will learn: vocabulary: emotions and feelings; word order: subordinate clauses (*wenn* / *weil* / *dass*); verbs with the dative; pronunciation: the glottal stop

Dialogue 1

Feelings and emotions

How are you?

Listen as a few people describe how they are feeling.

1 Match.

2 Complete.

Listening

Dogs on a lead

3 Anna meets Jürgen in the park. She asks him how he's doing. Complete using the pronouns below.

4 True or false? Correct.

Grammar

Word order in subordinate clauses (*wenn* / *weil* / *dass*)

The conjunctions *wenn*, *weil* and *dass* are 'verb kickers'.

• In a subordinate clause the verb is not in position 2.

• The verb goes to the end of the clause.

Main clauses   Main clause + subordinate clause

5 Match.

6 Write sentences.

Subordinate clause: position 1

The subordinate clause can come before the main clause. The word order then changes.

• '… verb, verb …'

7 Write sentences.

Verbs with the dative

These verbs have:

• a subject (person or thing) → nominative

• and a person → dative

8 Complete.

Pronouns in the dative

9 Complete using the pronouns in the dative.

10 Write sentences.

Reading

German interjections

11 Listen and complete using the feelings: surprise, pain, empathy, disgust.

Pronunciation

The glottal stop – vowels at the start of a word / syllable

Listen and repeat.

12 Listen and repeat.

13 Listen and repeat. Mark the glottal stops.

Idiom, tongue twister

Test

1 Match.

2 Match.

3 Write sentences.

4 Complete using the pronouns.

5 Complete using verbs.

6 Fill in the correct noun forms.

Practice makes perfect! Keep going!

Unit 13   Do you live alone?

In this unit you will learn: vocabulary: living arrangements; adjectives in the dative; prepositions with the dative; changing prepositions; pronunciation: the German *l*

Dialogue 1

Do you live alone?

Three colleagues (Uwe, Katja and Max) meet in a café.

1 Tick the correct boxes.

Listening

Do you also live in the city?

2 Frau Adler and Herr Bauer meet on the suburban railway. They describe where they live. Listen and tick the boxes.

3 Now it's your turn! Answer.

Grammar

Adjectives in the dative

After an article adjectives get the ending *-en* in the dative.

Don't forget: nouns in the dative plural get an *-(e)n* at the end.

4 Complete.

Prepositions with the dative

The prepositions *bei, mit, nach, von* and *zu* always take the dative.

The prepositions *aus* and *seit* also always take the dative.

5 Complete using the prepositions.

Changing prepositions: accusative or dative

The following nine prepositions can take the dative or the accusative:

- If a sentence answers the question *Wo?*, the preposition is followed by the dative.
- If it answers the question *Wohin?*, the preposition is followed by the accusative.

Destination, place

6 Where or where to? Answer.

7 Fill in the article.

8 Complete.

Reading

Adverts for flats

Read the adverts for flats.

9 Match the adverts A, B, C to the answers.

10 What is the total rent?

Total rent = rent before bills (e. g. heating, gas, etc.) + additional costs

11 Now it's your turn! Write an advert for your flat / house.

ⓘ A flat share

A *WG* is a flat which several people share. Generally each person has their own room and shares the bathroom and kitchen with their flatmates. In Germany *WGs* are very popular, because you can share the cost of electricity, water and phone bills.

Pronunciation

The German *l*

The German *l* is very clear in the medial, final and initial sound. Listen and repeat.

12 Read aloud. Then listen to check.

Tongue twister

Test

1 What is correct?

2 Write the prepositions.

3 What is correct?

Very good!

Unit 14   Do you know your way around here?

In this unit you will learn: vocabulary: directions, means of transport; imperative with Sie; prepositions; subjunctive: polite speech; pronunciation: abbreviations

Dialogue 1

Do you know your way around here?

Mr Müller is on his lunch break. He is sitting on a park bench. He would like to eat his *Currywurst* and chips.

Mr Müller starts to eat his *Currywurst* again. His *Currywurst* is getting cold; Mr Müller tries again to eat it.

Mr Müller continues eating his *Currywurst*.

Mr Müller finishes eating his *Currywurst* and chips.

1 Where would the tourists like to go? Complete.

2 Match the sentences with to pictures.

Listening

Where should we go now?

3 Mr and Mrs Schneider are discussing where they should go now. Where are they at the moment?

4 Where would Mr and Mrs Schneider like to go?

5 Describe the route. Put the sentences (1 – 6) in the right order.

6 What can you find in a town? Fill in the crossword.

7 Changing preposition *in*: write sentences.

8 Preposition *mit*: look at the examples and fill in using the article.

Grammar

The imperative

The imperative with *Sie* is the formal form.

With the imperative you can:

- give directions
- make demands
- make suggestions

The verb is in position 1

The subject is in position 2

9 Make Mr and Mrs Schneider some suggestions. Match.

10 Give directions. Use the imperative.

11 Mr Schneider is at the train station. He would like to go to a pub with friends for a beer. Correct the directions. (Look at the map.)

Polite requests

To request something politely you use the verb *könnten* or *würden* and the infinitive.

12 Request something very politely.

Reading

The German transport system

13 Read the text and answer the questions.

14 Which means of transport are public? Tick the correct boxes.

Pronunciation

Abbreviations

As in many other languages German also uses abbreviations. Generally the final syllable is stressed. Listen and repeat.

Some abbreviations aren't spoken as letters but as words, in which case the first syllable is stressed.

15 What are the abbreviations? Listen.

Test

1 Match the sentences to the pictures.

2 Complete: *dem, der* or *dem*.

3 Where do you go, …

4 Request something very politely.

Keep going!

Unit 15   How are you?

In this unit you will learn: vocabulary: the body, health and illness; daily routine; reflexive verbs and pronouns; imperative with *du* and *ihr*; pronunciation: *s*

Dialogue 1

Are you not well?

Sofie has just come home from work. She looks ill.

1 True or false?

Dialogue 2

Have you got a cold?

Albert Müller has got a cold but he goes to work. He bumps into Johanna Adler.

2 What symptoms does Albert Müller have?

Listening

At the doctor's surgery

3 Albert is with his doctor. Where does it hurt?

4 What isn't he allowed to do?

5 Who says what? Albert Müller or the doctor?

The body

6 Complete using the singular or the plural.

7 Match.

8 Complete using the missing body parts.

9 Complete.

Grammar

Reflexive verbs and pronouns

The verb is reflexive if the subject is also the object.

Here are the reflexive pronouns in the accusative and the dative.

10 Make sentences.

11 Routine in the morning: Complete using *mir* or *mich*.

12 Now it's your turn! What do you do in the mornings? Mark and number.

13 Describe your routine in the morning.

Imperative: *du* and *ihr*

A Imperativ with *du* (informal, singular)

• Make the *du* form.

• Get rid of *du* and the ending *-(s)t*.

Some verbs have an irregular form. For example: if the stem ends with *s* or *ß*, the *s* and *ß* remain in the imperative form. With verbs like *fahren* or *schlafen* you leave out the umlaut in the imperative. The verb *sein* has a special form when it's in the imperative:

B Imperative with *ihr* (informal, plural)

• Make the *ihr* form.

• Get rid of *ihr*.

14 Write imperative sentences for your friends.

Reading

Speech without words

15 You want to wish a friend good luck. Which gesture do you use?

16 Many German idioms use body parts. Can you match the idiom to the definition?

  a Could we speak privately?

  b My brain hurts.

  c I'll keep my fingers crossed for you.

  d She's a tough cookie.

  e I've had it up to here.

Pronunciation

s

Listen and repeat.

voiced s (initial sound or before a vowel),

voiceless s (final sound or before a consonant,

sp/st = sch (e. g. before t or p as initial sound)

17 Listen and repeat. Mark the words with s
and put them into the correct column.

Test

1 Complete.

2 Match.

3 Request your friend does something!
Get well soon!

Unit 16 Do you remember your childhood?
In this unit you will learn: vocabulary:
childhood; the simple past; als/wenn/wann;
composites with wo- and da-; pronunciation: e
sounds

Dialogue 1

Grandfather's stories: "Back then …"

Michael is sitting at the computer. His
grandfather is telling him about his youth.

1 Fill in the verbs (in the simple past).

Dialogue 2

Childhood

Markus, Katharina and Sofie work together.
They are talking about their childhoods in their
lunch break.

2 What do the colleagues remember best?
Complete and match.

Listening

Strict parents

3 Markus, Katharina and Sofie continue
chatting. Listen and complete using the
verbs:

4 Now it's your turn!

Grammar

The simple past

The simple past is generally used in written
language: narration, stories, fables and fairy
tales, newspapers and magazines, news
reports.

The simple past forms of *haben*, *sein* and the
modal verbs are also used in spoken language.

Regular verbs in the simple past

In the simple past form -t- or -et- comes
between the stem and the ending.

The 3rd person singular gets the ending -e
instead of -et.

-et- comes between the stem and the ending if
the stem ends on a -t or a -d.

5 Fill in the regular verbs in the simple past.

Irregular verbs in the simple past

Some verbs have an irregular form in the
simple past. They have:

• a change to the stem

• no ending in the 1st and 3rd person singular

Verbs have three basic forms: in the infinitive,
the simple past and the past participle.

Here are the most frequent verbs and their
three basic forms.

Regular verbs are always conjugated with a
form of *haben* in the perfect. Some irregular
verbs require a form of *sein*.

6 Over and over: Ludwig has a boring life.
Change the sentences from the the simple
past to the present tense.

7 Match.

Modal verbs in the simple past

Modal verbs in the simple get:

• a -t- between the stem and the ending

• no umlaut

The 1st and 3rd person singular gets the ending
-e.

8 An excuse: answer the question: what
happened? Complete using the verbs in the
simple past (modal verbs, *haben* and *sein*).

9 Complete using the verbs in the simple past.

Little red riding hood

Als/wenn/wann

Past: specific point in time or period of time

Past: more than once

Question word

Time expressions: the past

10 Complete: *wenn, wann* or *als*?

Composites with *wo-* and *da-*

If the preposition begins with a vowel it gets an
-r- after *wo-* or *da-*.

11 Ask questions (composites with *wo-*).

12 Answer (composites with *da-*).

13 Grandfather can't hear very well. Michael
explains it to him. Complete using composites with *da-* and *wo-*.

Reading
Grimms' fairy tales and Aesop's fables

Pronunciation
e sounds
Listen and repeat.
e/ee/eh is long, *e/ä* is usually short before two consonants, *e* in the last syllable is generally unstressed (schwa)
14 Listen and tick the boxes.

Test
1 Match the simple past forms to the infinitives.
2 Complete using the verbs in the simple past.
3 What did the wolf say? Tick the correct box. Fabulous!

Unit 17   What will the weather be like?
In this unit you will learn: vocabulary: the weather; the subjunctive; polite requests and questions; pronunciation: hardening of the final consonant

Dialogue 1
Weekend excursion to Potsdam
After the news, Johannes and Silvia are watching the weather report on TV. They are thinking about going to Potsdam on a weekend excursion.
1 The weather: true or false?
2 What would Johannes and Silvia like to do in Potsdam? Complete:

Listening
Weather report
3 Listen to the three weather reports. Which report matches the map? Tick the box.
4 Complete using the correct weather phrases.
5 Now it's your turn! What is the weather like where you live? Describe.

Grammar
The subjunctive
The subjunctive is used to express wishes, possibilities or probabilities.
A You win one million euros.
Be careful with the word order: *würden* = position 2, infinitive = the end
Now it's your turn! What would you do with one million euros?

B You are on holiday and it's raining.
Now it's your turn! What would you do?
C It is 2 a.m. and you can't sleep.
Now it's your turn! What would you do?
The subjunctive: forms with *haben, sein* and modal verbs
Some verbs aren't formed with *würden* + infinitive. They have their own subjunctive form.
Here is a list of some verbs and their subjunctive form.
Sollen and *wollen* don't take an umlaut.
6 Match.
7 Winning the lottery: Ruth and Felix have bought lottery tickets. The winning numbers are being announced on TV. Listen closely and complete.
8 Now it's your turn! What would you do if you won the lottery?
Usage: polite requests and questions
The subjunctive is also used for polite requests and questions.
9 Complete using the subjunctive.

Reading
The weather in Germany
10 Where can you sit outside in the autumn? Tick the correct box.

Pronunciation
Hardening of the final consonant
At the end of words and syllables *b, d* and *g* are pronounced differently.
Listen and repeat.
11 Listen and mark the hardened final consonants.

Test
1 What would Max do if he had one million euros? What is correct?
2 Say it politely. What is correct?
3 What will the weather be like tomorrow? Tick the correct box.
4 What would you do if you had one million euros? Fill in the gaps.
Well done!

Unit 18   Where are you going on holiday?
In this unit you will learn: vocabulary:
holidays, booking a hotel room; infinitive
sentences with *zu* and *um … zu*; the future
tense; pronunciation: *z*

Dialogue 1
A holiday on the Baltic coast
Julia and Sven are planning a holiday. They
intend to go to the Baltic coast.
1 Tick the correct boxes.

Listening
Phoning Hotel Sunshine
2 Sven has found a hotel. He phones them
and asks about a room. True or false?
3 An email from Hotel Sunshine: complete.
4 You would like a room. Listen and answer.
On holiday
What would you like to do?
5 Match.
6 Tick the correct box:
7 Now it's your turn! What will you pack?

Grammar
Infinitive clauses: *zu* + infinitive
The infinitive is used in some sentence
constructions. The following sentences use *zu*
+ the infinitive.
8 Complete the infinitive clauses with *zu* + an
infinitive.
9 Pauline thinks positively. Nils thinks
negatively. Complete the sentences.
Infinitive clauses: *um … zu* + infinitive
The infinitive is also used with *um … zu*, in
order to give a purpose or reason.
Infinitive clauses don't have a subject.
10 Match.
11 Combine the sentences by creating an infinitive clause.
The future
The future is formed with the auxiliary verb
werden + an infinitive.
werden = position 2, infinitive = end
12 Complete using the auxiliary verb *werden*.
13 Alex is supposed to do something but
doesn't feel like it today. How does Alex answer?
Idiom: "Tomorrow, tomorrow! Just not today!",
all the lazy people say.

Reading
The Germans' most popular travel destinations
14 Answer the questions.
15 Now it's your turn!

Pronunciation
z
z is always pronounced *ts*.
Listen and repeat.
16 Tongue twister: listen and repeat.

Test
1 Complete.
2 Match.
3 What is correct? Tick the box and complete.
Have a good journey!

Unit 19   Do you have work experience?
In this unit you will learn: vocabulary: the
world of work; the genitive; relative clauses;
revision: gender; pronunciation: punctuation
and sentence intonation
Text
1 Fill in the missing words.

Listening
A job interview
2 Katharina Becher is looking for a new job.
She has a job interview with Ms Weber.
Katharina is describing her work experience.
Listen. Tick the correct boxes.
3 Now it's your turn!

Grammar
The genitive
The genitive is used to say to whom something
belongs.
The genitive *s* with names
4 Write sentences with the genitive *s*.
Genitive endings
If there is no name the genitive is formed using
endings.
Masculine and neuter nouns get -*(e)s*.
-*s*: The word *Bruder* has more than one
syllable.
-*es*: The word *Mann* has only one syllable.
5 Complete using the genitive.
6 Whose … is it? Complete.
7 Sven and Julia are looking at photos on the
computer. Listen closely and complete.
8 What is the work place of …?

Übersetzungen

9 Now it's your turn! Who does what in your family?
Adjectives in the genitive
Genitive: Adjective endings after the article = *-en*
Adjective endings in the plural without the article = *-er*
10 Complete using the correct endings.
Relative clauses
A relative clause relates to the main clause. This means the subject or object doesn't need to be named more than once.
The relative pronouns in the nominative are the same as the definite article:
11 Complete using the relative pronouns:
Relative clauses: word order
12 Write relative sentences.
Revision: gender
Generally the gender needs to be learnt along with the word. The ending of some words makes this easier: you only need to learn which gender an ending takes. These endings always take the same gender.
Tip: Make fantasy words out of them!
13 Complete using the nominative:

Reading
An application
14 Now it's your turn! You have a job interview. Can you answer these questions about yourself?

Pronunciation
Punctuation and sentence intonation
Listen and repeat.
15 Listen closely. Complete using a punctuation mark and the sentence intonation.
Stress
16 Listen closely. In which order do you hear these sentences? Number them.

Test
1 Complete using the genitive.
2 Match.
3 Complete:
Break a leg!

Unit 20   Who painted that picture?
In this unit you will learn: vocabulary: visiting a museum; the passive; indirect questions; pronunciation: different pronunciation *ig → ich*

Dialogue 1
Visiting a museum
Leon lives in Munich. His friends often visit him. Leon likes going to museums with his friends.
1 Museums of Munich: true or false?
2 What are they interested in? Complete:
3 Where doesn't Leon go with his friends?
ⓘ Visiting a museum
You have to pay an entrance fee in most museums in Germany. Children, students and pensioners, however, can often get concessions. Many museums are closed on Mondays.

Listening
The original and the copy
4 Leon and Anna go to a museum and talk about a picture. True or false?

Grammar
The passive
A Active and passive
In active sentences the subject is in the foreground. In passive sentences the object is in the foreground.
Tip: The object in the active sentence becomes the subject in a passive one.
B Forming the passive
The passive is formed with a form of *werden* and the past participle. About forming the past particple. →
The passive can also appear in the simple past. It's then formed using a form of *wurden* and a past participle. To the conjugation of *wurden* →
5 Here are some further examples. Underline the form of *werden* and the past participle.
6 Complete the table.
7 Complete using a form of *werden* in the present.
8 Complete using a form of *werden* in the simple past.
9 Fried potatoes: write using the passive.

The passive: *von wem?*

In order to say in a passive sentence who does or has done something, you use *von* + the person.

10 Complete the sentences.

11 Who was it done by?

12 Mark the passive forms. Listen afterwards to the text.

A short history of the Kaiser Wilhelm Memorial Church

Indirect questions

Here are some examples of indirect questions.

Tip: Yes-no questions use *ob*.

13 Complete the sentences.

Reading

Places of interest in Munich

14 Answer the questions.

Pronunciation

Different pronunciations

In this book you have learnt *Hochdeutsch*. But in many regions of Germany words are pronounced differently. For example the final consonant *ig* is pronounced as *ich* in *Hochdeutsch*, while in southern Germany the final consonant *ig* is almost always pronounced *ig*.

Listen and repeat.

The *r* is also pronounced differently. In *Hochdeutsch* the *r* is rolled. In Bavaria the *r* is said using the tip of the tongue.

Listen and repeat.

Test

1 Complete.

2 Write sentences in the passive.

3 Complete using indirect questions.

All's well that ends well!

Deutsch-Englisches Glossar German-English Glossary

This glossary contains words and expressions from the Lehrbuch in alphabetical order. Nouns are listed with the article, followed by the plural form and the translation, e.g.: **der Vater**, **Väter** *father*. Irregular verbs are listed with the imperfect form followed by the past participle, e.g.: **treffen** (**traf**, **getroffen**) *to meet.*

A

ab *from*
abbiegen (bog ab, abgebogen) *to turn*
der Abend, -e *evening*
abends *in the evening*
aber *but, yet*
abfahren (fuhr ab, abgefahren) *to depart*
die Abfahrt, -en *departure*
das Abitur *end of school exam*
abkommen (kam ab, abgekommen) *to run off*
die Abkürzung, -en *abbreviation*
die Abreise, -n *departure*
abreißen (riss ab, abgerissen) *to tear off*
absagen *to cancel*
abschicken *to send, to post*
der Abschied, -e *farewell*
absolvieren *to graduate*
abtrocknen *to dry off*
sich abtrocknen *to dry oneself*
abwechseln *to change*
das Accessoire, -s *accessory*
acht *eight*
achten auf *to pay attention to, to watch out for*
achtzehn *eighteen*
achtzig *eighty*
das Adjektiv, -e *adjective*
die Adjektivendung, -en *adjective ending*
die Adresse, -n *address*
Afrika *Africa*
Ägypten *Egypt*
ähnlich, -e|-en|-er|-es *similar*
der Akkusativ *accusative*
die Akkusativendung, -en *accusative ending*
die Aktion, -en *action*
aktiv, -e|-en|-er|-es *active*
die Aktivität, -en *activity*
der Aktivsatz, -sätze *active clause*
aktuell, -e|-en|-er|-es *up-to-date*
alle|n|r|s *all*
allein *alone*
allerdings *admittedly, however*
die Allergie, -n *allergy*
allergisch, -e|-en|-er|-es *allergic*
alles *everything*
allgemein, -e|-en|-er|-es *general*
der Alltag, -e *daily routine*

die Alpen (Pl.) *Alps*
das Alphabet, -e *alphabet*
als *than, when*
also *well*
alt, -e|-en|-er|-es *old*
das Alter *age*
die Alternative, -n *alternative*
die Altstadt, -städte *old town, historic downtown*
am *on the*
die Ameise, -n *ant*
Amerika *America*
amerikanisch, -e|-en|-er|-es *American*
an *at, on*
die Ananas, -se *pineapple*
anbieten (bot an, angeboten) *to offer*
andere n|r|s *other*
ändern *to change*
anders *differently, different*
der Anfang, Anfänge *start*
anfangen (fing an, angefangen) *to start*
angeben (gab an, angegeben) *to specify*
das Angebot, -e *offer, deal*
der|die Angestellte|r *employee*
die Angst, Ängste *fright, fear*
anhalten (hielt an, angehalten) *to wave down*
anhängen (hing an, angehangen) *to hang on*
ankommen (kam an, angekommen) *to arrive*
die Ankunft, Ankünfte *arrival*
der Anlaut, -e *initial vowel*
anmachen *to turn on*
anpassen *to fit*
anprobieren *to try on*
der Anruf, -e *phone call*
anrufen (rief an, angerufen) *to telephone*
ans *on the*
anschauen *to watch, to look at*
anschließend, -e|-en|-er|-es *afterwards*
die Anschrift, -en *address*
ansehen (sah an, angesehen) *to look at*
ansprechen (sprach an, angesprochen) *to touch on*
anstecken *to infect*
die Antwort, -en *response*
antworten *to answer*
die Antwortlinie, -n *answer line*
die Antwortmail, -s *answer email*

der|die Anwalt|Anwältin, Anwälte|-innen *lawyer, attorney*
die Anzahl *number*
die Anzeige, -n *ad, advert*
anzeigen *to show*
anziehen (zog an, angezogen) *to put on, to dress*
der Anzug, Anzüge *suit*
der Apfel, Äpfel *apple*
der Apfelsaft, -säfte *apple juice*
die Apfelschorle, -n *apple juice with mineral water, apple spritzer*
der Apfelstrudel, - *apple strudel*
die Apotheke, -n *pharmacy*
der April *April*
die Arbeit, -en *work*
arbeiten *to work*
der|die Arbeiter|in, Arbeiter|innen *worker*
das Arbeitsklima *atmosphere at work*
der|die Arbeitskollege|-in, Arbeitskollege|-innen *work colleague*
der Arbeitsplatz, -plätze *workplace*
die Arbeitsstelle, -n *position*
die Arbeitswelt, -en *working world*
das Arbeitszimmer, - *office, study*
der|die Architekt|in, Architekten|-innen *architect*
die Architektur *architecture*
Argentinien *Argentina*
der Arm, -e *arm*
die Art, -en *type, kind*
der Artikel, - *article*
artikulieren *to articulate*
der|die Arzt|Ärztin, Ärzte|-innen *doctor*
die Arztpraxis, -praxen *doctor's surgery*
asiatisch, -e|-en|-er|-es *Asian*
Asien *Asia*
auch *also*
auf *on*
auf Wiederhören *goodbye (on telephone)*
auf Wiedersehen *goodbye*
der Aufenthalt, -e *stay*
die Aufforderung, -en *demand, request*
auffressen (fraß auf, aufgefressen) *to eat up*
aufmachen *to untie, to open*
aufpassen *to look out, to be careful*
aufräumen *to tidy*
aufschreiben (schrieb auf, aufgeschrieben) *to write down*
aufstehen (stand auf, aufgestanden) *to get up*
aufwachen *to wake up*
das Auge, -n *eye*
die Augenfarbe, -n *eye colour*

der August *August*
aus *from, out*
die Ausbildung, -en *training*
ausblasen (blies aus, ausgeblasen) *to blow out*
ausdrücken *to express*
der Ausflug, Ausflüge *outing, excursion*
ausgebucht, -e|-en|-er|-es *fully-booked*
ausgehen (ging aus, ausgegangen) *to run out*
ausgezeichnet, -e|-en|-er|-es *excellent*
sich auskennen (kannte aus, ausgekannt) *to know one's way around*
das Ausland *abroad*
der|die Ausländer|in, Ausländer|-innen *foreigner*
der Auslaut, -e *final vowel*
die Auslautverhärtung *hardening of the final vowel*
ausnahmsweise *as an exception*
die Ausrede, -n *excuse*
ausruhen *to rest*
ausschlafen (schlief aus, ausgeschlafen) *to sleep in*
aussehen (sah aus, ausgesehen) *to appear*
die Aussprache *pronunciation*
aussprechen (sprach aus, ausgesprochen) *to pronounce*
ausstellen *to exhibit*
austauschen *to exchange*
Australien *Australia*
die Auswahl *selection*
ausziehen (zog aus, ausgezogen) *to undress, to take off*
das Auto, -s *car*
die Autobahn, -en *superhighway, motorway*
der|die Autor|in, Autoren|innen *author*

B
das Baby, -s *baby*
der Bach, Bäche *stream*
backen (backte, gebacken) *to bake*
der|die Bäcker|in, Bäcker|-innen *baker*
die Bäckerei, -en *bakery*
das Bad, Bäder *bathroom*
der Badeanzug, -anzüge *swimsuit, bathing suit*
baden *to bathe*
die Bahn, -en *railway*
der Bahnhof, Bahnhöfe *train station, railway station*
der Bahnsteig, -e *platform*
bald *soon*
die Balearen *Balearic Islands*
der Balkon, -s *balcony*
der Ball, Bälle *ball*

Glossar

das Ballett *ballet*
das Ballspiel, -e *ball game*
die Banane, -n *banana*
die Bank, -en *bank*
der|die Bankkaufmann|-frau,
   Bankkaufmänner|-frauen *bank clerk*
die Bar, -s *bar*
der Barbier, -e *barber*
der Basketball *basketball*
der Bauch, Bäuche *tummy, stomach*
die Bauchschmerzen (Pl.) *stomach ache*
bauen *to build*
der|die Bauer|Bäuerin, Bauern|Bäuerinnen
   farmer
der Baum, Bäume *tree*
beabsichtigen *to intend*
beantworten *to answer*
der Becher, - *mug*
bedeutend, -e|-en|-er|-es *significant,*
   important
die Bedeutung, -en *significance, meaning*
befristet, -e|-en|-er|-es *fixed-term (of contract)*
beginnen (begann, begonnen) *to begin*
das Begleitbuch, -bücher *accompanying book*
die Begrüßung, -en *greeting, hello*
die Behörde, -n *authority*
bei *at, for*
beim *at the, with the*
das Bein, -e *leg*
das Beispiel, -e *example*
beißen (biss, gebissen) *to bite*
bekannt, -e|-en|-er|-es *well-known*
bekommen (bekam, bekommen) *to get*
Belgien *Belgium*
beliebt, -e|-en|-er|-es *popular*
benehmen (benahm, benommen) *to behave*
Benelux *Benelux*
benutzbar, -e|-en|-er|-es *useable*
benutzen *to use*
der Berg, -e *mountain*
der Beruf, -e *occupation, job*
die Berufsausbildung, -en *vocational training*
die Berufsbezeichnung, -en *job title*
die Berufserfahrung, -en *work experience*
der Berufsname, -n *occupation*
berühmt, -e|-en|-er|-es *illustrious, famous*
Bescheid sagen *to let somebody know*
beschränken *to narrow down*
beschreiben (beschrieb, beschrieben) *to*
   describe
besondere|n|r|s *special*
die Besonderheit, -en *speciality*
besonders *particularly, especially*

besprechen (besprach, besprochen) *to discuss*
besser *better*
bestätigen *to validate, confirm*
die Bestätigung, -en *confirmation*
bestehen (bestand, bestanden) *to insist*
bestellen *to order*
bestimmt, -e|-en|-er|-es *specific*
der Besuch, -e *visit*
besuchen *to visit*
betonen *to stress, to emphasise*
die Betonung, -en *stress, emphasis*
betreiben (betrieb, betrieben) *to pursue*
betreuen *to look after*
das Bett, -en *bed*
bevor *before*
bevorzugen *to favor, to prefer*
bewegen (bewegte, bewegt) *to move*
die Bewegung, -en *movement*
die Bewerbung, -en *application*
bewölkt, -e *cloudy, overcast*
die Bewölkung, -en *cloud cover*
bezahlen *to pay*
bezeichnen *to label, to name*
beziehen (bezog, bezogen) *to relate to*
die Bibel, -n *Bible*
biegen (bog, gebogen) *to turn*
das Bier, -e *beer*
der Biergarten, Biergärten *beergarden*
das Bild, -er *picture*
bilden *to form*
die Bildung, -en *form*
billig, -e|-en|-er|-es *cheap*
die Birke, -n *birch*
bis *until*
bisschen *bit*
bitte *please*
bitten (bat, gebeten) *to ask, to request*
blau, -e|-en|-er|-es *blue*
das Blaukraut *red cabbage*
bleiben (blieb, geblieben) *to stay*
der Bleistift, -e *pencil*
der Blick, -e *view*
die Blume, -n *flower*
der Blumenstrauß, -sträuße *bouquet*
die Bluse, -n *blouse*
der Boden, Böden *ground*
bombardieren *to bombard*
die Börse, -n *stock market*
Brasilien *Brazil*
braten (briet, gebraten) *to roast, to fry*
die Bratkartoffel, -n *sauté potato, fried potato*
die Bratwurst, -würste *fried sausage*
brauchen *to need*

braun, -e|-en|-er|-es *brown*
das Brautkleid, -er *wedding dress*
brennen (brannte, gebrannt) *to burn*
der Brief, -e *letter*
die Brille, -n *glasses*
bringen (brachte, gebracht) *to bring*
die Brise, -n *breeze*
das Brot, -e *bread*
das Brötchen, - *(bread) roll*
die Brücke, -n *bridge*
der Bruder, Brüder *brother*
der Brunch, Brunches *brunch*
die Brust, Brüste *chest*
das Buch, Bücher *book*
buchen *to book*
der Buchstabe, -n *letter*
die Buchung, -en *booking*
bügeln *to iron*
die Bühne, -n *stage*
Bulgarien *Bulgaria*
der|die Bundeskanzler|in,
   Bundeskanzler|innen *Chancellor of Germany*
das Bundesland, -länder *federal state*
die Bundesrepublik *Federal Republic*
bunt, -e|-en|-er|-es *colourful, bright*
der|die Bürgermeister|in,
   Bürgermeister|innen *mayor*
das Büro, -s *office*
der Bus, -se *bus*
die Bushaltestelle, -n *bus stop*
die Butter *butter*

C
ca. (circa) *approx*
das Café, -s *coffee shop, café*
die Cafeteria, Cafeterien *cafeteria*
der Campingplatz, -plätze *camping site*
die CD, -s *CD*
Celsius *celsius*
der Charakter, -e *character*
der|die Chef|in, Chefs|-innen *boss*
chinesisch, -e|-en|-er|-es *Chinese*
der Chor, Chöre *choir*
christlich, -e|-en|-er|-es *Christian*
der Club, -s *club*
der|die Coach|in, Coaches|innen *coach*
der Cocktail, -s *cocktail*
der Computer, - *computer*
die Computerfirma, -firmen *computer company*
die Computerpause, -n *break from the computer*
das Computerspiel, -e *computer game*

die Currywurst, -würste *curried sausage*

D
da *there*
der Dackel, - *dachshund*
damals *then*
damit *so that, in order to*
danach *thereafter, afterwards*
Dänemark *Denmark*
der Dank *thanks*
danke *thanks, thank you*
danken *to thank*
dann *then*
darstellen *to depict*
dass *that*
die Daten (Pl.) *data*
der Dativ *dative*
das Datum, Daten *date*
die Dauer *duration, length (of time)*
dauern *to last*
der Daumen, - *thumb*
definit, -e|-en|-er|-es *definite*
dein, -e|-en|-er|-es *your*
demokratisch, -e|-en|-er|-es *democratic*
denken (dachte, gedacht) *to think*
denn *then (used for emphasis)*
der, die, das *the*
deshalb *therefore*
deswegen *therefore*
der Detektiv|in, Detektive|-innen *detective*
deutsch, -e|-en|-er|-es *German*
Deutschland *Germany*
das Deutschlandradio *German radio*
deutschsprachig, -e|-en|-er|-es *German-speaking*
der Dezember *December*
dezent, -e|-en|-er|-es *restrained, classy*
der Dialekt, -e *dialect*
der Dialog, -e *dialogue*
dich *you, yourself*
der|die Dichter|in, Dichter|innen *poet*
der Dienstag, -e *Tuesday*
die Dienstreise, -n *business trip*
dies, -e|-en|-er|-es *this*
das Ding, -e *thing*
dir *you*
direkt, -e|-en|-er|-es *direct*
der Direktflug, -flüge *direct flight*
der|die Direktor|in, Direktoren|-innen *director, manager*
die Disko, -s *disco*
doch *but, nevertheless*
der|die Dolmetscher|in, Dolmetscher|innen

interpreter
der Döner, - *doner kebab*
der Donnerstag, -e *Thursday*
das Doppelzimmer, - *double room*
dort *there*
dort drüben *over there*
draußen *outside*
drehen *to twirl, to turn*
drei *three*
dreimal *thrice, three times*
dreißig *thirty*
dreizehn *thirteen*
dringend, -e|-en|-er|-es *urgent*
dritte, -e|-en|-er|-es *third*
drücken *to squeeze, to press*
du *you*
dumm, -e|-en|-er|-es *stupid*
die Dummheit, -en *stupidity*
dunkel|dunkle -n|-r|-s *dark*
dunkelblau, -e|-en|-er|-es *dark blue*
durch *through*
durchgehen (ging durch, durchgegangen) *to run through*
dürfen (durfte, gedurft) *to be allowed*
der Durst *thirst*
duschen *to shower*

E
eben *even, just now*
echt, -e|-en|-er|-es *real*
die Ecke, -n *corner*
das Ehepaar, -e *married couple*
ehrlich, -e|-en|-er|-es *truthful*
eigen, -e|-en|-er|-es *own*
eigentlich, -e|-en|-er|-es *actually*
die Eile *hurry*
ein, -e|-en|-er|-es *one, a|an*
der Eindruck, Eindrücke *impression*
einfach, -e|-en|-er|-es *simple, easy*
einfügen *to add in*
einige|n|r|s *some, a few*
einkaufen *to shop*
das Einkaufszentrum, -zentren *shopping centre, shopping mall*
einladen (lud ein, eingeladen) *to invite*
die Einladung, -en *invitation*
einmal *once, one time*
einpacken *to pack*
eins *one*
die Einsamkeit *loneliness*
einschlafen (schlief ein, eingeschlafen) *to fall asleep*
eintragen (trug ein, eingetragen) *to sign in*

die Eintrittskarte, -n *ticket*
der|die Einwandere|r, Einwanderer *immigrant*
das Einzelzimmer, - *single room*
die Einzimmerwohnung, -en *studio apartment*
das Eis *ice cream*
der Eisbecher, - *ice cream cup*
der Eiskaffee, -s *iced coffee*
die Eitelkeit, -en *vanity*
der Ekel, - *disgust*
eklig, -e|-en|-er|-es *disgusting*
der Elefant, -en *elephant*
elegant, -e|-en|-er|-es *elegant, smart*
elf *eleven*
die Eltern (Pl.) *parents*
die E-Mail, -s *email*
das Emblem, -e *emblem*
die Emotion, -en *emotion*
empfehlen (empfahl, empfohlen) *to recommend*
enden *to end, to finish*
endlich *at last, finally*
die Endung, -en *ending*
die Energie, -n *energy*
energisch, -e|-en|-er|-es *forceful, energetic*
der Engel, - *angel*
englisch, -e|-en|-er|-es *English*
der Enkel, - *grandson*
die Enkelin, -en - *granddaughter*
das Enkelkind, -er *grandchild*
der Enkelsohn, -söhne *grandson*
die Enkeltochter, -töchter *granddaughter*
die Ente, -n *duck*
entlang *along*
entschuldigen *to excuse*
die Entschuldigung, -en *pardon, excuse me*
entspannen *to relax*
entspannt, -e|-en|-er|-es *relaxed*
entwickeln *to develop*
entzünden *to inflame*
die Entzündung, -en *inflammation*
er *he*
die Erbse, -n *pea*
die Erdbeere, -n *strawberry*
das Erdbeereis *strawberry ice cream*
die Erfahrung, -en *experience*
der Erfolg, -e *success*
ergänzen *to supplement, to complete*
ergeben (ergab, ergeben) *to result in*
das Ergebnis, -se *result*
erhalten (erhielt, erhalten) *to receive*
sich erinnern *to remember*
sich erkälten *to catch a cold*
erklären *to state*

erleben *to experience*
die Ermäßigung, -en *concession*
ernst, -e|-en|-er|-es *seriously, serious*
der|die Erntehelfer|in, Erntehelfer|innen *harvest hand*
eröffnen *to open*
erreichen *to reach*
erscheinen (erschien, erschienen) *to appear*
erste|n|r|s *first*
erwachsen, -e|-en|-er|-es *grown up*
der|die Erwachsene|r, Erwachsenen *adult*
erwarten *to expect*
erzählen *to tell*
die Erzählung, -en *narrative, story*
es *it*
Es|Das tut mir leid. *I'm sorry.*
essen (aß, gegessen) *to eat*
etwa *actually (expressing surprise)*
etwas *something*
euch *you*
euer|eure|n *your*
der Euro, -s *Euro*
Europa *Europe*
europäisch, -e|-en|-er|-es *European*
evangelisch, -e|-en|-er|-es *evangelical*
eventuell, -e|-en|-er|-es *possible, maybe*
extrem, -e|-en|-er|-es *extreme*

F
die Fabel, -n *fable*
die Fabrik, -en *factory*
das Fach, Fächer *subject*
fahren (fuhr, gefahren) *to drive, to travel*
die Fahrkarte, -n *ticket*
der Fahrkartenschalter, - *ticket office*
das Fahrrad, -räder *bicycle*
fallen (fiel, gefallen) *to fall*
falls *if*
falsch, -e|-en|-er|-es *false, wrong*
die Familie, -n *family*
die Familienaktivität, -en *family activity*
das Familienmitglied, -er *family member*
der Familienname, -n *family name*
der Familienstand *marital status*
fangen (fing, gefangen) *to catch*
das Fantasiewort, -wörter *fantasy word*
fantastisch, -e|-en|-er|-es *terrific, fantastic*
die Farbe, -n *colour*
farbig, -e|-en|-er|-es *coloured*
fassen *to grasp*
fast *nearly, almost*
faul, -e|-en|-er|-es *lazy*
der Februar *February*

fehlen *to be missing, to be absent*
der Feierabend, -e *finishing time*
feiern *to celebrate*
fein, -e|-en|-er|-es *fine*
das Feld, -er *field*
feminin, -e|-en|-er|-es *feminine*
das Fenster, - *window*
das Ferienhaus, -häuser *holiday house*
fern, -e|-en|-er|-es *distant, far*
fernsehen (sah fern, ferngesehen) *to watch TV*
der Fernseher, - *TV*
der Fernsehsender, - *TV channel*
die Fernsehserie, -n *TV series*
das Fernziel, -e *long-distance destination*
fertig, -e|-en|-er|-es *finished*
fest, -e|-en|-er|-es *tight, firm*
das Festland *mainland*
das Fieber *fever*
der Film, -e *film*
finden (fand, gefunden) *to find*
der Finger, - *finger*
Finnland *Finland*
der Fisch, -e *fish*
das Fischgericht, -e *fish dish*
die Flagge, -n *flag*
die Flasche, -n *bottle*
der Fleck, -en *stain, mark*
das Fleisch *meat*
das Fleischgericht, -e *meat dish*
fleißig, -e|-en|-er|-es *studious, hard-working*
fliegen (flog, geflogen) *to fly*
fließen (floss, geflossen) *to flow*
der Flug, Flüge *flight*
der|die Flugbegleiter|in, Flugbegleiter|innen *flight attendant*
der Flughafen, -häfen *airport*
die Flugkarte, -n *airline ticket*
das Flugticket, -tickets *airline ticket*
das Flugzeug, -e *plane*
der Fluss, Flüsse *river*
die Folge, -n *succession, result*
folgen *to follow*
folgende|n|r|s *following*
fordern *to request, to demand*
die Forelle, -n *trout*
die Form, -en *shape*
formell, -e|-en|-er|-es *formal*
formen *to shape, to form*
förmlich, -e|-en|-er|-es *formal*
das Foto, -s *photo*
fotografieren *to photograph*
fragen *to ask*
das Fragewort, -wörter *question word*

Glossar

Frankreich *France*
französisch *French*
die Frau, -en *woman*
frei, -e|-en|-er|-es *free*
der Freitag, -e *Friday*
die Freizeit *free time*
die Freizeitaktivität, -en *free time activity,
   leisure activity*
fressen (fraß, gefressen) *to eat (of animals)*
die Freude, -n *pleasure, joy*
der|die Freund|in, Freunde|-innen *friend,
   boyfriend|girlfriend*
freundlich, -e|-en|-er|-es *welcoming, friendly*
frisch, -e|-en|-er|-es *fresh*
der|die Friseur|in, Friseure|-innen *hairdresser*
froh, -e|-en|-er|-es *happy*
der Frosch, Frösche *frog*
die Frucht, Früchte *fruit*
früh, -e|-en|-er|-es *early*
der Frühling, -e *springtime, spring*
das Frühstück, -e *breakfast*
frühstücken *to breakfast*
der Frühzug, -züge *early train*
der Fuchs, Füchse *fox*
fühlen *to feel*
führen *to lead*
füllen *to fill*
fünf *five*
fünfzehn *fifteen*
fünfzig *fifty*
für *for*
furchtbar, -e|-en|-er|-es *terrible*
der Fuß, Füße *foot*
der Fußball *soccer, football*
die Fußballmannschaft, -en *football team*
das Fußballspiel, -e *football game*
der|die Fußballspieler|in,
   Fußballspieler|innen *football player*
füttern *to feed (of animals)*
das Futur *future*

G
die Gabel, -n *fork*
ganz *whole*
gar nicht *absolutely not*
die Garage, -n *garage*
der Garten, Gärten *garden*
der Gast, Gäste *guest*
das Gebäude, Gebäude *building*
geben (gab, gegeben) *to give*
geboren, -e|-en|-er|-es *born*
das Geburtsdatum, -daten *date of birth*
der Geburtsort, -e *birthplace*

der Geburtstag, -e *birthday*
die Gedächtniskirche *memorial church*
gefallen (gefiel, gefallen) *to favor, to like*
das Gefühl, -e *feeling*
gegen *against*
der Gegenstand, -stände *object*
gegenüber *opposite*
gehen (ging, gegangen) *to go, to walk*
gehören *to belong to*
gelb, -e|-en|-er|-es *yellow*
das Geld *money*
gelten (galt, gegolten) *to be valid*
das Gemüse, - *vegetable(s)*
gemütlich, -e|-en|-er|-es *snug, cosy*
genau, -e|-en|-er|-es *exact*
genauso *exactly*
generell, -e|-en|-er|-es *general*
der Genitiv *genitive*
genug *enough*
das Genus *genus, gender*
gerade *straight*
geradeaus *straight on*
geradewegs *straight*
das Gericht, -e *dish*
die Germanistik *German language and
   literature*
gern *very much, a lot*
gesamt, -e|-en|-er|-es *total, complete*
die Gesamtmiete, -n *total rent*
das Geschäft, -e *shop*
der|die Geschäftspartner|in,
   Geschäftspartner|innen *business partner*
die Geschäftsstelle, -n *office branch*
geschehen (geschah, geschehen) *to occur*
das Geschenk, -e *present*
die Geschichte, -n *tale, story*
das Gesicht, -er *face*
das Gespräch, -e *talk, conversation*
der|die Gesprächspartner|in,
   Gesprächspartner|innen *conversation
   partner*
die Geste, -n *gesture*
gestern *yesterday*
die Gestik, -en *gestures*
gesund, -e|-en|-er|-es *healthy*
die Gesundheit *health*
das Getränk, -e *drink*
gewinnen (gewann, gewonnen) *to win*
die Gewinnzahl, -en *winning number*
das Glas, Gläser *glass*
glatt, -e|-en|-er|-es *slippery*
glauben *to believe*
gleich, -e|-en|-er|-es *equal*

gleichermaßen *equally, alike*
gleichzeitig *simultaneously, at the same time*
das Gleis, -e *railway line, platform*
das Glied, -er *limb*
das Glück *luck, happiness*
glücklich, -e|-en|-er|-es *lucky, happy*
der Grad, -e *degree*
die Grammatik, -en *grammar*
gratulieren *to congratulate*
grau, -e|-en|-er|-es *grey*
die Grenze, -n *border*
Griechenland *Greece*
griechisch, -e|-en|-er|-es *Greek*
der Grill, -s *grill, barbecue*
die Grippe, -n *influenza, flu*
groß, -e|-en|-er|-es *tall, big*
großartig, -e|-en|-er|-es *sublime, amazing*
Großbritannien *Great Britain*
die Größe, -n *size*
die Großeltern (Pl.) *grandparents*
die Großmutter, -mütter *grandmother*
die Großstadt, -städte *big city*
der Großvater, -väter *grandfather*
Grüezi *hello (Swiss)*
grün, -e|-en|-er|-es *green*
der Grund, Gründe *reason*
die Grundform, -en *basic form*
die Grundschule, -n *primary school*
grüngrau, -e|-en|-er|-es *green grey*
grüßen *to greet*
gültig, -e|-en|-er|-es *valid*
das Gummibärchen, - *gummy bear*
günstig, -e|-en|-er|-es *cheap, affordable*
die Gurke, -n *cucumber*
die Gurkensuppe, -n *cucumber soup*
gut, -e|-en|-er|-es *good, well*
gute Besserung *get well soon*
guten Appetit *enjoy your meal*
das Gymnasium, Gymnasien *high school,
    grammar school*

H
das Haar, -e *hair*
haben (hatte, gehabt) *to have*
der Haifisch, -e *shark*
halb, -e|-en|-er|-es *half*
hallo *hello*
der Hals, Hälse *neck*
die Halsentzündung *throat infection*
die Halsschmerzen (Pl.) *sore throat*
halten (hielt, gehalten) *to hold*
die Haltestelle, -n *bus stop*
die Hand, Hände *hand*

der Händedruck, -drücke *handshake*
der Handschuh, -e *glove*
das Handy, -s *cell phone, mobile phone*
der Hase, -n *hare*
häufig, -e|-en|-er|-es *frequently, often*
der Hauptbahnhof (Hbf.), -bahnhöfe *central
    station*
die Hauptöffnungszeit, -en *main opening time*
der Hauptsatz, -sätze *main clause*
die Hauptstadt, -städte *capital city*
die Hauptstraße, -n *main road*
das Haus, Häuser *house*
der|die Hausmann|-frau,
    Hausmänner|-frauen *house husband|wife*
das Hausmärchen, - *household fairy tale*
die Hausnummer, -n *house number*
das Haustier, -e *pet*
die Haut, Häute *skin*
das Heft, -e *notebook*
heiraten *to wed, to get married*
heiß, -e|-en|-er|-es *hot*
heißen (hieß, geheißen) *to be called*
helfen (half, geholfen) *to help*
hell, -e|-en|-er|-es *light*
das Hemd, -en *shirt*
der Herbst, -e *autumn, fall*
der Herd, -e *cooker, stove*
der Hering, -e *herring*
die Herkunft, Herkünfte *place of origin*
der Herr, -en *Mr.*
herum *around*
hervorragend, -e|-en|-er|-es *superb, brilliant*
das Herz, -en *heart*
herzhaft, -e|-en|-er|-es *heartily*
herzlich, -e|-en|-er|-es *warmly*
Herzlichen Glückwunsch *congratulations,
    happy birthday*
die Heuschrecke, -n *grasshopper*
heute *today*
hier *here*
hiermit *herewith*
hilfreich, -e|-en|-er|-es *helpful*
das Hilfsverb, -en *auxiliary verb*
hin *to*
die Hinfahrt, -en *outward journey*
der Hinflug, Hinflüge *outbound flight*
hingehen (ging hin, hingegangen) *to go to*
hinten *behind*
hinter, -e|-en|-er|-es *behind*
historisch, -e|-en|-er|-es *historic*
das Hobby, -s *hobby*
hoch|hohe|n|r|s *high*
das Hochdeutsch *standard German*

die Hochsaison *high season*
hoffen *to hope*
hoffentlich *hopefully*
die Hoffnung, -en *hope*
höflich, -e|-en|-er|-es *polite*
holen *to fetch, to collect*
der Honig, -e *honey*
hören *to listen, to hear*
die Hose, -n *trousers, pants*
der Hosenanzug, -anzüge *trouser suit, pants suit*
das Hotel, -s *hotel*
das Hotelzimmer, - *hotel room*
der Humor *humour*
der Hund, -e *dog*
hundert, -e *hundred*
der Hunger *hunger*
husten *to cough*
der Hustensaft, -säfte *cough syrup*
der Hut, Hüte *hat*

I
ich *I*
die Idee, -n *idea*
ihm *him*
ihn *him*
ihnen *them*
ihr *her, your*
im *in the*
immer *always*
der Imperativ, -e *imperative*
in *in*
in Ordnung *all right*
in Strömen regnen *to pour with rain*
inbegriffen *included*
indefinit, -e|-en|-er|-es *indefinite*
indirekt, -e|-en|-er|-es *indirect*
der Infinitiv, -e *infinitive*
die Infinitivform, -en *infinitive form*
der Infinitivsatz, -sätze *infinitive clause*
die Informatik *computer science, information technology*
die Information, -en *information*
informell, -e|-en|-er|-es *informal*
der|die Ingenieur|in, Ingenieure|-innen *engineer*
der|die Inhaber|in, Inhaber|innen *owner*
inklusive *included, inclusive*
inkompetent, -e|-en|-er|-es *incompetent*
der Inlaut, -e *medial vowel*
innen *inside*
ins *into*

die Insel, -n *island*
insgesamt *overall, altogether*
inspirieren *to inspire*
das Instrument, -e *instrument*
intakt *intact*
intelligent, -e|-en|-er|-es *intelligent*
interessant, -e|-en|-er|-es *interesting*
interessieren *to interest*
die Interjektion, -en *interjection*
international, -e|-en|-er|-es *international*
das Internet *internet*
das Interview, -s *interview*
interviewen *to interview*
Irland *Ireland*
die IT *information technology*
Italien *Italy*
italienisch, -e|-en|-er|-es *Italian*

J
ja *yes*
die Jacke, -n *jacket*
das Jahr, -e *year*
die Jahreszeit, -en *season*
das Jahrhundert, -e *century*
der Januar *January*
je *ever, each*
die Jeans, - *jeans*
jede|n|r|s *every*
jedoch *however*
jemand *somebody*
jetzt *now*
jeweils *each, every*
der Journalismus *journalism (studies)*
der|die Journalist|in, Journalisten|-innen *journalist*
die Journalistik *journalism*
die Jugend *youth*
der Juli *July*
jung, -e|-en|-er|-es *young*
der Juni *June*

K
der Kaffee, -s *coffee*
der Kalender, - *calendar*
kalt, -e|-en|-er|-es *cold*
die Kälte *cold*
die Kaltmiete, -n *rent without electricity, heating, etc.*
die Kamera, -s *camera*
Kanada *Canada*
die Kanaren *Canary islands*
die Kantine, -n *canteen*

die Kapelle, -n *chapel*
das Kapitel, - *unit, chapter*
kaputt, -e|-en|-er|-es *broken*
die Karibik *Caribbean*
die Karte, -n *card*
die Kartoffel, -n *potato*
der Käse *cheese*
katholisch, -e|-en|-er|-es *Catholic*
die Katze, -n *cat*
kaufen *to buy*
der|die Käufer|in, Käufer|innen *buyer*
das Kaufhaus, -häuser *department store*
der|die Kaufmann|-frau, Kaufmänner|-frauen
    salesperson
kein, -e|-en|-er|-es *no, none*
der Keks, -e *biscuit, cookie*
der|die Kellner|in *waiter*
kennen (kannte, gekannt) *to know (person)*
die Kenntnis, -se *knowledge*
der Kern, -e *core*
die Kerze, -n *candle*
die Kette, -n *chain*
der Kilometer, - *kilometer*
das Kind, -er *child*
der Kindergarten, -gärten *nursery,*
    kindergarten
das Kinderzimmer, - *children's room*
die Kindheit *childhood*
das Kinn, -e *chin*
das Kino, -s *cinema*
der Kiosk, -e *kiosk*
die Kirche, -n *church*
klappen *to work out*
klar, -e|-en|-er|-es *clear*
die Klarinette, -n *clarinet*
die Klasse, -n *class*
klassisch, -e|-en|-er|-es *classic(al)*
das Kleid, -er *dress*
die Kleidung, -en *clothes*
klein, -e|-en|-er|-es *small, little*
klingen (klang, geklungen) *to sound*
der Kloß, Klöße *dumpling*
klug, -e|-en|-er|-es *clever*
der Knacklaut, -e *glottal stop*
die Kneipe, -n *pub, bar*
das Knie, - *knee*
der Knopf, Knöpfe *button*
der|die Koch|Köchin, Köche|-innen *chef*
kochen *to cook, to boil*
der|die Kollege|-in, Kollegen|-innen *colleague*
die Kolonie, -n *colony*
kombinieren *to combine*
komisch, -e|-en|-er|-es *strange, funny*

das Komma, -s *comma*
kommen (kam, gekommen) *to come*
der|die Kommissar|in, Kommissare|-innen
    superintendent
kommunizieren *to communicate*
die Komödie, -n *comedy*
der Komparativ, -e *comparative*
die Kompetenz, -en *competence*
komplizieren *to complicate*
kompliziert, -e|-en|-er|-es *complicated*
komponieren *to compose*
der|die König|in, Könige|-innen *king*
die Konjugation, -en *conjugation*
konjugieren *to conjugate*
die Konjunktion, -en *conjunction*
der Konjunktiv, -e *subjunctive*
können (konnte, gekonnt) *to be able to*
der Konsonant, -en *consonant*
die Konsonantenverbindung, -en *consonant*
    pair
der Kontinent, -e *continent*
die Kontrolle, -n *check*
das Konzert, -e *concert*
der Kopf, Köpfe *head*
die Kopfschmerzen (Pl.) *headache*
die Kopie, -n *copy*
kopieren *to copy*
der Körper, - *body*
der Körperteil, -e *body part*
korrigieren *to correct*
kosten *to cost*
das Kostüm, -e *skirt suit*
krank, -e|-en|-er|-es *unwell, ill*
das Krankenhaus, -häuser *hospital*
der|die Krankenpfleger|in|-schwester,
    Krankenpfleger|innen|-schwestern *nurse*
die Krankheit, -en *sickness, illness*
krankschreiben (schrieb krank,
    krankgeschrieben) *to sign off ill*
die Kreditkarte, -n *credit card*
kreuzen *to cross*
das Kreuzworträtsel, - *crossword*
der Krieg, -e *war*
der Krimi, -s *crime story*
der|die Krimiautor|in, Krimiautoren|innen
    crime writer
der Kriminalroman, -e *crime novel*
Kroatien *Croatia*
die Küche, -n *kitchen*
der Kuchen, - *cake*
die Kuh, Kühe *cow*
der Kühlschrank, -schränke *fridge, refrigerator*
der|die Kunde|in, -n|innen, *customer*

die Kunst, Künste *art*
der|die Künstler|in, Künstler|innen *artist*
der Künstlername, -n *stage name*
das Kunstwerk, -e *artwork*
der Kurs, -e *course*
kurz, -e|-en|-er|-es *short*
der Kuss, Küsse *kiss*
küssen *to kiss*
die Küstenregion, -en *coastal region*

L
lachen *to laugh*
die Lage, -n *situation*
die Lampe, -n *lamp*
das Land, Länder *country, land*
landen *to land*
die Landeshauptstadt, -städte *state capital*
die Landschaft, -en *countryside*
die Landung, -en *touchdown*
lang, -e|-en|-er|-es *long*
die Langeweile *boredom*
langsam, -e|-en|-er|-es *slow*
langweilig, -e|-en|-er|-es *boring*
lassen (ließ, gelassen) *to let*
laufen (lief, gelaufen) *to walk, to run*
die Laufschuhe (Pl.) *trainers, sneakers*
laut, -e|-en|-er|-es *loud, aloud*
der Laut, -e *sound*
leben *to live*
das Lebensjahr, -e *year of one's life*
der Lebenslauf, -läufe *curriculum vitae, résumé*
lecker, -e|-en|-er|-es *yummy, tasty*
ledig, -e|-en|-er|-es *unmarried, single*
leer, -e|-en|-er|-es *empty*
legen *to place, to put*
der|die Lehrer|in, Lehrer|innen *teacher*
leicht, -e|-en|-er|-es *light*
leider *unfortunately*
leidtun (tat leid, leidgetan) *to be sorry*
die Leine, -n *lead*
leise|n|r|s *quiet*
lernen *to learn*
lesen (las, gelesen) *to read*
letzte|n|r|s *last*
die Leute (Pl.) *people*
licht, -e|-en|-er|-es *light*
das Licht, -er *light*
lieb, -e|-en|-er|-es *dear, kind*
Liebe Grüße *All the best, Love*
lieben *to love*
lieber *rather*
liebevoll, -e|-en|-er|-es *affectionately*
Lieblings- *favourite*

liegen (lag, gelegen) *to lie*
lila *purple*
linke|n|r|s *left*
links *left*
der Lippenstift, -e *lipstick*
die Liste, -n *list*
der Löffel, - *spoon*
lokal, -e|-en|-er|-es *local*
los *off*
lösen *to solve*
die Lösung, -en *solution*
das Lotto, -s *lottery*
die Lücke, -n *gap*
lückenlos, -e|-en|-er|-es *gapless*
Lust haben *to want to, to feel like*
lustig, -e|-en|-er|-es *funny*

M
machen *to make, to do*
das Mädchen, - *girl*
mähen *to mow*
das Mahnmal, -e *war memorial*
der Mai *May*
mal *times*
man *one*
der|die Manager|in, Manager|innen *manager*
manche|n|r|s *some*
manchmal *sometimes*
der Mann, Männer *man*
männlich, -e|-en|-er|-es *masculine*
der Mantel, Mäntel *coat*
das Märchen, - *fairy tale*
märchenhaft, -e|-en|-er|-es *fabulous*
markieren *to mark*
der Markt, Märkte *market*
die Marmelade, -n *jam*
der Marmorkuchen, - *marble cake*
der März *March*
maskulin, -e|-en|-er|-es *masculine*
die Mathematik *mathematics*
das Maul, Mäuler *mouth (of animal)*
die Maus, Mäuse *mouse*
maximal, -e|-en|-er|-es *maximum*
der|die Mechaniker|in, Mechaniker|innen *mechanic*
das Medikament, -e *medicine*
mediterran, -e|-en|-er|-es *Mediterranean*
die Medizin *medicine*
das Meer, -e *sea, ocean*
die Meeresfrucht, -früchte *shellfish*
mehr *more*
mehrere|n|r|s *several*
mehrmals *several times*

mein|e|n|r|s *my*
meist, -e|-en|-er|-es *most*
das Meisterwerk, -e *masterpiece*
die Melodie, -n *tune, intonation*
die Mensa, Mensen *canteen (university, school)*
der Mensch, -en *person, human being*
menschlich, -e|-en|-er|-es *human*
messen (maß, gemessen) *to measure*
das Messer, - *knife*
mich *me, myself*
die Miete, -n *rent*
mieten *to rent*
der|die Migrant|in, Migranten|innen *migrant*
die Mikrowelle, -n *microwave*
die Milch *milk*
mild, -e|-en|-er|-es *mild*
die Milliarde, -n *billion*
die Million (Mio.), -en *million*
das Mineralwasser, - *mineral water*
die Minute, -n *minute*
mir *me*
mischen *to mix*
mit *with*
mit|ohne Kohlensäure *sparkling|still*
der|die Mitarbeiter|in, Mitarbeiter|innen
    employee
der|die Mitbewohner|in, Mitbewohner|innen
    flatmate, roommate
mitbringen (brachte mit, mitgebracht) *to bring (something)*
miteinander *with one another*
mitkommen (kam mit, mitgekommen) *to come along*
das Mitleid *pity, sympathy*
der Mittag, -e *midday, noon*
die Mittagspause, -n *lunch hour, lunch break*
die Mitte, -n *middle*
mitteilen *to convey*
das Mittelmeer *Mediterranean*
der Mittelpunkt, -e *centre*
mitten *(in the) middle of*
die Mitternacht, -nächte *midnight*
der Mittwoch, -e *Wednesday*
die Möbel (Pl.) *furniture*
möbliert, -e|-en|-er|-es *furnished*
das Modalverb, -en *modal verb*
modern, -e|-en|-er|-es *modern*
modisch, -e|-en|-er|-es *stylish, fashionable*
mögen (mochte, gemocht) *to like*
die Möglichkeit, -en *possibility*
der Moment, -e *moment*
der Monat, -e *month*
der Montag, -e *Monday*

montags *Mondays*
morgen *tomorrow*
morgens *in the morning*
das Motorrad, -räder *motorbike*
das Mountainbike, -s *mountain bike*
müde|n|r|s *tired*
der Mund, Münder *mouth*
das Museum, Museen *museum*
der Museumsbesuch, -e *museum visit*
die Museumsinsel *museum island*
die Musik, -en *music*
der|die Musiker|in, Musiker|innen *musician*
das Müsli, -s *granola, muesli*
müssen *to have to*
das Muster, - *sample, pattern*
die Musterantwort, -en *sample answer*
die Mutter, Mütter *mother*
die Mutti, -s *mummy, mum, mom*
mysteriös, -e|n|r|s *mysterious*

N
na *well (exclamation)*
nach *after*
nachdenken (dachte nach, nachgedacht) *to think about, to think over*
nachher *afterwards*
der Nachmittag, -e *afternoon*
nachmittags *p.m., in the afternoon*
die Nachrichten (Pl.) *the news*
nachschauen *to check*
die Nachspeise, -n *dessert*
die Nacht, Nächte *night*
der Nachtisch, -e *dessert*
nachts *at night*
die Nachtschicht, -en *night shift*
nahe|n|r|s *near*
nähen *to sew*
das Nahziel, -e *short-distance destination*
der Name, -n *name*
die Nase, -n *nose*
die Nation, -en *nation*
natürlich *of course, naturally*
die Naturwissenschaft, -en *natural science*
neblig, -e|-en|-er|-es *misty, foggy*
neben *beside*
die Nebenkosten (Pl.) *additional costs*
der Nebensatz, -sätze *subordinate clause*
der Neffe, -n *nephew*
negativ, -e|-en|-er|-es *negative*
nehmen (nahm, genommen) *to take*
der Neid *envy*
nein *no*
nennen (nannte, genannt) *to name*

nerven *to annoy*
nett, -e|-en|-er|-es *kind, nice*
das Netzwerk, -e *network*
neu, -e|-en|-er|-es *new*
neulich, -e|-en|-er|-es *recently*
neun *nine*
neunzehn *nineteen*
neunzig *ninety*
neutral, -e|-en|-er|-es *neuter*
nicht *not*
die Nichte, -n *niece*
nichts *nothing*
nie *never*
Niederlande *the Netherlands*
niemand *nobody*
niesen *to sneeze*
noch *yet, still*
das Nomen, - *noun*
der Nominativ *nominative*
Nord *north*
Nordamerika *North America*
der Norden *north*
nördlich, -e|-en|-er|-es *northern*
die Nordsee *North Sea*
nordwestlich, -e|-en|-er|-es *northwest*
normal, -e|-en|-er|-es *standard, normal*
Norwegen *Norway*
nötig, -e|-en|-er|-es *necessary*
der November *November*
null *zero*
nummerieren *to number*
nur *only*
nutzen *to benefit*
nützlich, -e|-en|-er|-es *useful*

O
ob *whether*
oben *upstairs, up*
das Objekt, -e *object*
das Obst *fruit*
obwohl *though, although*
oder *or*
offen, -e|-en|-er|-es *open*
die Offenheit *openess*
öffentlich, -e|-en|-er|-es *public*
die Öffentlichkeit, -en *the public*
öffnen *to open*
oft *often*
ohne *without*
das Ohr, -en *ear*
die Ohrenschmerzen (Pl.) *earache*
okay *all right, OK*

der Oktober *October*
das Öl, -e *oil*
die Olive, -n *olive*
der Onkel, - *uncle*
der Opa, -s *grandpa*
die Oper, -n *opera*
orange *orange*
die Orange, -n *orange*
der Orangensaft, -säfte *orange juice*
ordentlich, -e|-en|-er|-es *tidy*
die Ordnungszahl, -en *ordinal number*
das Original, -e *original*
das Originalbild, -er *original picture*
der Ort, -e *place*
die Orthografie, -n *orthography, spelling*
die Ortsveränderung, -en *change of place*
der Osten *east*
Österreich *Austria*
österreichisch, -e|-en|-er|-es *Austrian*
die Ostsee *Baltic sea*

P
paar *pair*
packen *to pack*
das Paket, -e *parcel*
die Panne, -n *breakdown*
das Papier, -e *paper*
der Park, -s *park*
die Parkbank, -bänke *park bench*
das Parlament, -e *parliament*
die Partei, -en *(political) party*
das Partizip, -ien *participle*
der|die Partner|in, Partner|innen *partner*
die Party, -s *party*
der|die Passagier|in, Passagiere|-innen
    passenger
passen *to suit, to fit*
passend, -e|-en|-er|-es *appropriate*
passieren *to happen*
das Passiv *passive*
die Passivform, -en *passive form*
der Passivsatz, -sätze *passive sentence*
der PC, -s *personal computer*
das Perfekt *present perfect*
perfekt, -e|-en|-er|-es *perfect*
die Person, -en *person*
der Personalausweis, -e *identity card*
das Personalpronomen, - *personal pronoun*
persönlich, -e|-en|-er|-es *personally*
der|die Pilot|in, Piloten|innen *pilot*
die Pinakothek, -en *art gallery*
die Pizza, Pizzen *pizza*
der Plan, Pläne *plan*

planen *to plan*
der Platz, Plätze *square, place*
der Plural *plural*
die Pluralendung, -en *plural ending*
der|die Politiker|in, Politiker|innen *politician*
politisch, -e|-en|-er|-es *political*
die Polizei, - *police force*
der|die Polizist|in, Polizisten|-innen *police officer*
die Pommes frites (Pl.) *chips, French fries*
das Popcorn *popcorn*
Portugal *Portugal*
die Position, -en *position*
positiv, -e|-en|-er|-es *positive*
der Possessivartikel, - *possessive article*
die Post *post office*
das Poster, - *poster*
das Praktikum, Praktika *work placement, internship*
praktisch, -e|-en|-er|-es *practical*
die Präposition, -en *preposition*
das Präsens *present tense*
das Präteritum *preterite, simple past tense*
die Praxis, Praxen *practice*
der Preis, -e *price*
das Preisschild, -er *price tag*
privat, -e|-en|-er|-es *private*
pro *per*
probieren *to try*
das Produkt, -e *product*
professionell, -e|-en|-er|-es *professional*
der|die Professor|in, Professoren|innen *professor*
das Programm, -e *schedule*
programmieren *to program*
das Pronomen, - *pronoun*
die Prüfung, -en *test, exam*
die Psychologie *psychology*
der Pudding *blancmange*
die Puderdose, -n *compact*
der Pullover, - *sweater*
der Punkt, -e *dot, point*
pünktlich, -e|-en|-er|-es *punctual*
putzen *to clean*

Q
das Quadrat, -e *square*
der Quadratmeter, - *square metre*
der Qualitätswein, -e *vintage wine*
die Quelle, -n *source*
das Quiz, - *quiz*

R
der Rabe, -n *raven*
der|die Radfahrer|in, Radfahrer|innen *cyclist*
das Radio, -s *radio*
der Radiosender, - *radio broadcaster*
der Rasen, - *grass, lawn*
rasieren *to shave*
das Rathaus, -häuser *town hall, city hall*
rau, -e|-en|-er|-es *rugged*
rauchen *to smoke*
der Raum, Räume *room*
die Rechnung, -en *invoice, bill*
recht *right*
rechts *right*
reden *to talk*
die Redewendung, -en *idiom*
reflexiv *reflexive*
das Regal, -e *shelf*
die Regel, -n *rule*
regelmäßig, -e|-en|-er|-es *regular*
der Regen *rain*
die Regenjacke, -n *waterproof, raincoat*
der Regenschirm, -e *umbrella*
die Region, -en *region*
regional, -e|-en|-er|-es *regional*
regnen *to rain*
reich, -e|-en|-er|-es *well-off, rich*
die Reihenfolge, -n *order*
der Reisebus, -se *coach*
reisen *to travel*
der Reisende, -n *traveller*
der Reisepass, -pässe *passport*
die Reiseroute, -n *itinerary*
das Reiseziel, -e *destination*
reiten (ritt, geritten) *to ride*
relativ, -e|-en|-er|-es *relative*
die Relativitätstheorie *theory of relativity*
das Relativpronomen, - *relative pronoun*
der Relativsatz, -sätze *relative clause*
die Rente, -n *pension*
reparieren *to repair*
die Reportage, -n *reportage, report*
die Republik, -en *republic*
reservieren *to reserve*
die Reservierung, -en *reservation*
das Restaurant, -s *restaurant*
die Reue *remorse, regret*
das Rezept, -e *recipe, prescription*
der|die Richter|in, Richter|innen *judge*
richtig, -e|-en|-er|-es *properly, correct*
die Richtung, -en *direction*
riechen (roch, gerochen) *to smell*
der Ring, -e *ring*

der Roboter, - *robot*
die Rockmusik *rock music*
die Rolle, -n *role*
der Roman, -e *novel*
die Romantik *Romanticism*
der Römer, - *Roman*
rosa *pink*
rot, -e|-en|-er|-es *red*
die Rote Grütze, Rote Grützen *mixed forest
    berries jelly*
der Rotwein, -e *red wine*
die Routine, -n *routine*
der Rücken, - *back*
die Rückenschmerzen (Pl.) *backache*
die Rückfahrt, -en *return journey*
der Rückflug, -flüge *return flight*
rufen (rief, gerufen) *to call*
ruhig, -e|-en|-er|-es *quiet*
die Ruine, -n *ruin*
Rumänien *Romania*
rund, -e|-en|-er|-es *round*
russisch, -e|-en|-er|-es *Russian*
Russland *Russia*

S
die Sache, -n *thing*
der Saft, Säfte *juice*
die Sage, -n *saga, myth*
sagen *to say*
die Sahne *cream*
der Salat, -e *salad*
sammeln *to collect*
die Sammlung, -en *collection*
der Samstag, -e *Saturday*
die Sandale, -n *sandal*
der Satz, Sätze *sentence, clause*
die Satzkonstruktion, -en *sentence construction*
die Satzmelodie, -n *sentence intonation*
die Satzstellung *word order*
das Satzzeichen, - *punctuation mark*
sauber, -e|-en|-er|-es *clean*
schade *shame*
der Schafskäse *feta cheese, sheep's cheese*
der Schal, -s *scarf*
schälen *to peel*
schauen *to watch*
der|die Schauspieler|in, Schauspieler|innen
    actor
scheinen (schien, geschienen) *to shine, to seem*
schenken *to give, to present*
die Schere, -n *scissors*
schick, -e|-en|-er|-es *chic*

schicken *to send*
das Schienennetz, -e *rail network*
das Schiff, -e *ship*
die Schildkröte, -n *tortoise*
schlafen (schlief, geschlafen) *to sleep*
die Schlafkabine, -n *sleeping car*
das Schlafzimmer, - *bedroom*
die Schlange, -n *snake*
schlecht, -e|-en|-er|-es *bad*
schlendern *to amble, to wander*
schließen (schloss, geschlossen) *to close*
schließlich *finally, after all*
schlimm, -e|-en|-er|-es *bad*
der Schlüssel, - *key*
schmecken *to taste*
der Schmerz, -en *soreness, pain*
schminken *to put make up on*
schmutzig, -e|-en|-er|-es *dirty*
der Schnee *snow*
der Schneefall, -fälle *snowfall*
der Schneeregen *sleet*
schneiden (schnitt, geschnitten) *to cut*
schneien *to snow*
schnell, -e|-en|-er|-es *fast, quick*
das Schnitzel, - *schnitzel*
der Schnupfen *sniffles, cold*
die Schokolade, -n *chocolate*
schon *already*
schön, -e|-en|-er|-es *nice, beautiful*
die Schönheit *beauty*
die Schorle, -n *spritzer*
der Schrank, Schränke *cupboard*
schreiben (schrieb, geschrieben) *to write*
der Schreibtisch, -e *desk*
schreien (schrie, geschrien) *to yell, to scream*
der Schuh, -e *shoe*
die Schulausbildung, -en *school education*
die Schule, -n *school*
die Schulter, -n *shoulder*
die Schüssel, -n *bowl*
das Schwa *schwa*
schwach, -e|-en|-er|-es *weak*
die Schwäche, -n *weakness*
der Schwanz, Schwänze *tail*
schwarz, -e|-en|-er|-es *black*
Schweden *Sweden*
die Schweiz *Switzerland*
schweizerisch *Swiss*
die Schwester, -n *sister*
der Schwiegersohn, -söhne *son-in-law*
die Schwiegertochter, -töchter *daughter-in-law*
schwimmen (schwamm, geschwommen) *to
    swim*

schwitzen *to sweat*
schwören (schwor, geschworen) *to swear*
sechs *six*
sechzehn *sixteen*
sechzig *sixty*
der Seeblick *sea view*
sehen (sah, gesehen) *to see*
sehenswert, -e|-en|-er|-es *worth seeing*
die Sehenswürdigkeit, -en *place of interest*
sehr *very*
sehr geehrte|r *dear (in letter)*
die Seifenoper, -n *soap opera*
sein *his, its*
sein (war, gewesen) *to be*
seit *since*
die Seite, -n *side, page*
der|die Sekretär|in, Sekretäre|-innen *secretary*
selbst *self*
selbstbewusst, -e|-en|-er|-es *self-assured, confident*
selten, -e|-en|-er|-es *seldom, rarely*
die Semesterferien, - *holiday, vacation*
der Sender, - *broadcasting company*
der|die Senior|in, Senioren|innen *senior, pensioner*
senkrecht, -e|-en|-er|-es *vertical*
der September *September*
Serbien *Serbia*
der Service, -s *service*
die Serviette, -n *serviette, napkin*
Servus *hello (Austria)*
setzen *to place, to set*
die Shorts (Pl.) *shorts*
sich *him-|her-|itself; themselves*
sich freuen auf *to look forward to*
sich freuen über *to be happy about*
sicher *sure, certain*
sie *she, her; they, them*
Sie *you (formal)*
sieben *seven*
siebzehn *seventeen*
siebzig *seventy*
die Silbe, -n *syllable*
die Sinfonie, -n *symphony*
singen (sang, gesungen) *to sing*
der Singular *singular*
sinken (sank, gesunken) *to sink*
die Situation, -en *situation*
sitzen (saß, gesessen) *to sit*
der Sitzplatz, -plätze *seat*
die Sitzung, -en *meeting*
Skandinavien *Scandinavia*
Ski fahren (fuhr Ski, Ski gefahren) *to ski*

die Slowakei *Slowakia*
Slowenien *Slovenia*
snowboarden *to snowboard*
so *thus, so*
die Socke, -n *sock*
das Sofa, -s *sofa*
sofort *straightaway, immediately*
sogar *even*
der Sohn, Söhne *son*
solche|n|r|s *such*
der Soldat, -en *soldier*
sollen (sollte, gesollt) *to ought to, to have to*
der Sommer, - *summer*
sondern *but*
die Sonne, -n *sun*
die Sonnenblume, -n *sunflower*
die Sonnenbrille, -n *sunglasses*
der Sonnenschein *sunshine*
sonnig, -e|-en|-er|-es *sunny*
der Sonntag, -e *Sunday*
sonntags *Sundays*
sonstig, -e|-en|-er|-es *other, further*
die Sorge, -n *worry*
sorgen für *to make for*
sortiert, -e|-en|-er|-es *sorted*
sowie *as well as*
sozial, -e|-en|-er|-es *social*
die Spaghetti *spaghetti*
Spanien *Spain*
spanisch, -e|-en|-er|-es *Spanish*
spannend, -e|-en|-er|-es *exciting*
Spaß machen *to be fun*
spät, -e|-en|-er|-es *late*
der Spatz, -en *sparrow*
die Spätzle (Pl.) *similar to gnocchi*
die Speisekarte, -n *menu*
der Speiseraum, -räume *dining room*
spenden *to donate*
die Spezialität, -en *specialty*
das Spiegelei, -er *fried egg*
spielen *to play*
der Sport *sport*
sportlich, -e|-en|-er|-es *sporty*
der Sportwagen, - *sports car*
die Sprache, -n *language*
die Sprachkenntnisse (Pl.) *language skills*
sprechen (sprach, gesprochen) *to speak*
der|die Sprecher|in, Sprecher|innen *speaker*
das Sprichwort, -wörter *saying, idiom*
springen (sprang, gesprungen) *to jump*
Squash *squash*
der Staat, -en *state*
staatlich, -e|-en|-er|-es *state-owned*

die Staatsangehörigkeit, -en *nationality*
die Stadt, Städte *town*
der Stadtplan, -pläne *street map*
das Stadtschloss *city palace*
der Stamm, Stämme *stem*
der Stammwechsel, - *stem change*
der Star, -s *star*
stark, -e|-en|-er|-es *strong*
die Stärke, -n *strength*
starten *to depart, to start*
statt *instead*
der Stau, -s *traffic jam*
stehen (stand, gestanden) *to stand*
stehlen (stahl, gestohlen) *to steal*
steigen (stieg, gestiegen) *to rise*
stellen *to set*
sterben (starb, gestorben) *to die*
der Stiefel, - *boot*
der Stift, -e *pen*
still, -e|-en|-er|-es *still, quiet, silent*
stimmen *to vote*
stimmhaft *voiced*
stimmlos *voiceless*
stinken (stank, gestunken) *to stink*
die Stirn, -en *forehead*
stören *to disturb*
strahlend, -e|-en|-er|-es *beaming*
der Strand, Strände *beach*
die Straße, -n *street*
die Straßenbahn, -en *tram*
das Straßennetz, -e *road network*
der Strauß, Sträuße *ostrich*
streichen (strich, gestrichen) *to delete*
streng, -e|-en|-er|-es *strict*
der Stress, -e *stress*
der Strom, Ströme *electric power, electricity*
die Struktur, -en *structure*
das Stück, -e *piece*
der|die Student|in, Studenten|-innen *student*
das Studentenwohnheim, -e *dormitory, hall of residence*
die Studie, -n *study*
studieren *to study*
das Studium, Studien *studies*
der Stuhl, Stühle *chair*
die Stunde (Std.), -n *hour*
stürmisch, -e|-en|-er|-es *stormy*
das Subjekt, -e *subject*
suchen *to search, to look for*
Südamerika *South America*
der Süden *south*
südlich, -e|-en|-er|-es *southern*
der Südwesten *southwest*

die Summe, -n *sum*
super *super*
der Superlativ, -e *superlative*
der Supermarkt, -märkte *supermarket*
die Suppe, -n *soup*
surfen *to surf*
süß, -e|-en|-er|-es *sweet*
symbolisieren *to symbolize*
das Symptom, -e *symptom*

T
die Tabelle, -n *table*
die Tablette, -n *tablet*
der Tag, -e *day*
der Tagesablauf, -abläufe *daily routine*
die Tagestemperatur, -en *daytime temperature*
tanken *to fill up (with petrol)*
die Tante, -n *aunt*
tanzen *to dance*
der|die Tänzer|in, Tänzer|innen *dancer*
die Tasse, -n *cup*
tatsächlich, -e|-en|-er|-es *indeed, actually*
tausend *thousand*
das Taxi, -s *taxi*
der|die Taxifahrer|in, Taxifahrer|innen *taxi driver*
das Team, -s *team*
die Technik, - *technology*
der|die Techniker|in, Techniker|innen *technician*
das Technikmuseum *technical museum*
der Tee, Tees *tea*
der Teil, -e *part*
teilen *to share*
teilmöbliert *partly furnished*
das Telefon, -e *telephone*
telefonieren *to telephone*
die Telefonnummer, -n *telephone number*
der Teller, - *plate*
die Temperatur, -en *temperature*
das Tennis *tennis*
der Termin, -e *appointment*
der Test, -s *test*
teuer|teure|n|s *expensive*
der Text, -e *text*
thailändisch, -e|-en|-er|-es *Thai*
das Theater, - *theatre*
das Theaterstück, -e *play*
thematisieren *to deal with*
der Ticketschalter, - *ticket office*
das Tier, -e *animal*
der Tiger, - *tiger*
der Tipp, -s *tip, hint*

tippen *to tap*
das Tiramisu, -s *tiramisu*
der Tisch, -e *table*
die Tischlampe, -n *table lamp*
der Titel, - *title*
die Tochter, Töchter *daughter*
die Toilette, -n *toilet*
toll, -e|-en|-er|-es *super, brilliant*
die Tomate, -n *tomato*
der Tomatensaft, -säfte *tomato juice*
der Tomatensalat, -e *tomato salad*
die Tomatensoße, -n *tomato sauce*
der Ton, Töne *tone*
die Torte, -n *cake, gateau*
die Tour, -en *tour*
der|die Tourist|in, Touristen|-innen *tourist*
die Tradition, -en *tradition*
traditionell, -e|-en|-er|-es *traditionally*
tragen (trug, getragen) *to wear*
tragisch, -e|-en|-er|-es *tragic*
die Tragödie, -n *tragedy*
träumen *to dream*
traurig, -e|-en|-er|-es *sad*
treffen (traf, getroffen) *to meet*
trennbar, -e|-en|-er|-es *separable*
treulich, -e|-en|-er|-es *faithful*
trinken (trank, getrunken) *to drink*
das Trinkgeld, -er *tip*
trocken, -e|-en|-er|-es *dry*
trotzdem *nevertheless, in spite of*
Tschechien *the Czech Republic*
tschüss *goodbye*
die Tulpe, -n *tulip*
tun (tat, getan) *to do*
der Tunnel, - *tunnel*
die Tür, -en *door*
die Türkei *Turkey*
türkisch, -e|-en|-er|-es *Turkish*
der Turm, Türme *tower*
der Turnschuh, -e *sneaker, trainer*
typisch, -e|-en|-er|-es *typical*

U
über *over, above*
überall *everywhere*
das Übergewicht *overweight*
überhaupt *at all*
überlegen *to consider*
übermorgen *the day after tomorrow*
übernachten *to spend the night*
die Übernachtung, -en *overnight stay*
übernehmen (übernahm, übernommen) *to take over*

überprüfen *to check*
die Überraschung, -en *surprise*
übersetzen *to translate*
die Übersetzung, -en *translation*
übersichtlich, -e|-en|-er|-es *clearly laid-out*
die Übung, -en *exercise*
die Uhr, -en *clock, o'clock*
die Uhrzeit, -en *time*
die Ukraine *Ukraine*
um *round, at*
der Umlaut, -e *umlaut*
die Umlautbildung *umlaut construction*
umsteigen (stieg um, umgestiegen) *to change (train, bus, etc)*
unbekannt, -e|-en|-er|-es *unknown*
und *and*
Ungarn *Hungary*
das Unglück, -e *misfortune*
unhöflich, -e|-en|-er|-es *rude*
die Uni, -s *uni*
die Union, -en *union*
die Universität, -en *university*
unordentlich, -e|-en|-er|-es *untidy*
unprofessionell, -e|-en|-er|-es *unprofessional*
unregelmäßig, -e|-en|-er|-es *irregular*
uns *us*
unser *our*
unten *beneath, below*
unter *underneath, under*
unterhalten (unterhielt, unterhalten) *to discuss*
die Unterlage, -n *document, paper*
unternehmen (unternahm, unternommen) *to undertake, to do*
unterschiedlich, -e|-en|-er|-es *varied, different*
die Unterschrift, -en *signature*
unterstreichen (unterstrich, unterstrichen) *to underline*
unterstützen *to support*
unterwegs *out and about*
untrennbar, -e|-en|-er|-es *inseparable*
der Urlaub, -e *vacation, holiday*
der|die Urlauber|in, Urlauber|innen *vacationer, holiday-maker*
die Urlaubsreise, -n *holiday trip*
die USA *United States of America*
usw. (und so weiter) *etc.*

V
das Vanilleeis *vanilla ice cream*
die Vanillesoße *vanilla custard, vanilla sauce*
die Variante, -n *variant*
der Vater, Väter *father*

Glossar

die Veränderung, -en *shift, change*
verantwortlich, -e|-en|-er|-es *responsible*
das Verb, -en *verb*
der Verband, Verbände *federation, organizaion*
die Verbform, -en *verb form*
verbinden (verband, verbunden) *to connect*
verbringen (verbrachte, verbracht) *to spend (time)*
vereinbaren *to agree*
die Vergangenheit *past*
die Vergangenheitsform, -en *past tense form*
vergessen (vergaß, vergessen) *to forget*
vergleichen (verglich, verglichen) *to compare*
verheiratet, -e|-en|-er|-es *married*
verkaufen *to sell*
der|die Verkäufer|in, Verkäufer|innen *salesperson*
der Verkehr *transportation, transport*
das Verkehrsmittel, - *means of transport*
das Verkehrssystem, -e *transport system*
verlangen *to demand*
verletzen *to injure*
vermieten *to rent out, to let*
verpassen *to miss*
verrückt, -e|-en|-er|-es *crazy, mad*
verschieben (verschob, verschoben) *to put off, to postpone*
verschieden sein *to differ*
verschwinden (verschwand, verschwunden) *to disappear*
verstehen (verstand, verstanden) *to understand*
versuchen *to try*
vertreten (vertrat, vertreten) *to stand in for, to substitute*
verwenden (verwendete, verwendet) *to use*
die Verwendung, -en *use*
viel, -e|-en|-er|-es *much, many*
vielleicht *possibly*
vier *four*
das Viertel, - *quarter*
vierzehn *fourteen*
vierzig *forty*
Vietnam *Vietnam*
violett, -e|-en|-er|-es *violet*
die Violine, -n *violin*
die Visitenkarte, -n *business card*
visuell, -e|-en|-er|-es *visual*
der Vogel, Vögel *bird*
der Vokal, -e *vowel*
die Vokalbildung *vowel construction*
der Vokalwechsel *vowel change*
voll, -e|-en|-er|-es *full*

der Volleyball *volleyball*
volljährig, -e|-en|-er|-es *of age, adult*
das Volontariat, -e *internship, traineeship*
vom *by the, of the*
von *by, of*
vor *before, ago*
vor Christus (v. Chr.) *before Christ (B.C.)*
vorbei *by, past*
der Vordergrund *foreground*
vorgestern *the day before yesterday*
vorhaben (hatte vor, vorgehabt) *to intend*
vorher *previously*
vorkommen (kam vor, vorgekommen) *to occur*
vorlesen (las vor, vorgelesen) *to read out, to read aloud*
vormittags *a.m., in the morning*
der Vorname, -n *first name*
der Vorschlag, Vorschläge *suggestion*
die Vorsilbe, -n *prefix*
die Vorspeise, -n *starter*
das Vorstellungsgespräch, -e *job interview*

W
waagerecht, -e|-en|-er|-es *horizontally*
der Wagen, - *trolley*
wählen *to vote, to choose*
während *while, during*
die Wahrscheinlichkeit, -en *probability*
der Wald, Wälder *woods, forest*
der Waldrand *edge of the forest*
wandern *to hike*
der Wanderschuh, -e *hiking boot*
wann *when*
warm *warm*
warten *to wait*
warum *why*
was *what*
waschen (wusch, gewaschen) *to wash*
das Wasser *water*
das Wechselgeld *change*
wechselhaft, -e|-en|-er|-es *changeable*
wechseln *to change*
die Wechselpräposition, -en *changing preposition*
weg *away*
der Weg, -e *path*
die Wegbeschreibung, -en *directions*
weglaufen (lief weg, weggelaufen) *to run away*
wehen *to blow*
wehtun (tat weh, wehgetan) *to hurt*
weiblich, -e|-en|-er|-es *female*
weil *because*
der Wein, -e *wine*

weinen *to cry*
die Weinkarte, -n *wine list*
weiß, -e|-en|-er|-es *white*
Weißrussland *Belarus*
der Weißwein, -e *white wine*
weit, -e|-en|-er|-es *far*
weiter *further*
weitergehen (ging weiter, weitergegangen) *to move on, to continue*
welche|n|r|s *which*
die Welle, -n *wave*
das Wellenreiten *surfing*
die Welt, -en *world*
weltbekannt, -e|-en|-er|-es *known worldwide*
der Weltkrieg, -e *world war*
die Weltreise, -n *world trip*
weltweit, -e|-en|-er|-es *worldwide*
wen|wem *whom*
wenden (wendete, gewendet) *to turn round*
wenn *if, when*
wer *who*
werden (wurde, geworden) *to become*
die Wespe, -n *wasp*
wessen *whose*
der Westen *west*
das Wetter, - *weather*
der Wetterausdruck, -ausdrücke *weather phrase*
der Wetterbericht, -e *weather report*
die Wetterkarte, -n *weather map*
der|die Wetterreporter|in, Wetterreporter|innen *weather reporter*
die Wettervorhersage, -n *weather forecast*
die WG (Wohngemeinschaft), -s *shared flat*
wichtig, -e|-en|-er|-es *important*
wie *like, as*
wie geht's? *how are you?*
wieder *again*
die Wiederholung, -en *repeat, revision*
wieso *how come, why*
willkommen *to welcome*
der Wind, -e *wind*
windig, -e|-en|-er|-es *windy*
der Winter, - *winter*
wir *we*
wirklich, -e|-en|-er|-es *truly, really*
die Wirtschaft, -en *economy*
wissen (wusste, gewusst) *to know (facts)*
der|die Wissenschaftler|in, Wissenschaftler|innen *scientist*
witzig, -e|-en|-er|-es *funny*
wo *where*
die Woche, -n *week*

der Wochenendausflug, -ausflüge *weekend break, weekend excursion*
das Wochenende, -n *weekend*
der Wochentag, -e *weekday*
wofür *what for*
woher *where from*
wohin *where to*
wohnen *to live*
die Wohngemeinschaft, -en *shared a flat*
der Wohnort, -e *place of residence*
die Wohnung, -en *flat, apartment*
die Wohnungsanzeige, -n *advert for a flat*
das Wohnverhältnis, -se *living arrangement*
das Wohnzimmer, - *sitting room, living room*
der Wolf, Wölfe *wolf*
die Wolke, -n *cloud*
wollen *to want*
womit *with what*
woran *on what*
worauf *on what*
das Wort, Wörter *word*
der Wortakzent, -e *word stress*
der Wortanfang, -anfänge *beginning of the word*
der Wortbeginn *beginning of the word*
das Wortende, -n *end of the word*
das Wörterbuch, -bücher *dictionary*
wörtlich, -e|-en|-er|-es *literally*
der Wortschatz *vocabulary*
die Wortstellung, -en *word order*
wünschen *to wish*
der Wurm, Würmer *worm*
die Wurst, Würste *sausage*
wütend, -e|-en|-er|-es *furious, angry*

X
das Xylophon, -e *xylphone*

Y
die Yacht, -en *yacht*
das Ypsilon *letter y*

Z
die Zahl, -en *number*
zahlen *to pay*
der Zahn, Zähne *tooth*
die Zahnschmerzen (Pl.) *toothache*
das Zäpfchen, - *uvula*
das Zebra, -s *zebra*
der Zeh, -en *toe*
zehn *ten*
der Zeigefinger, - *index finger*

zeigen *to show*
der Zeisig, -e *finch*
die Zeit, -en *time*
der Zeitausdruck, -drücke *time expression*
der Zeitpunkt, -e *point in time*
die Zeitschrift, -en *magazine*
die Zeitspanne, -n *time span*
die Zeitung, -en *newspaper*
die Zeitungsindustrie *newspaper industry*
zelten *to camp*
zentral, -e|-en|-er|-es *central*
zerstören *to destroy*
die Ziege, -n *goat*
ziehen (zog, gezogen) *to pull*
das Ziel, -e *target, goal*
das Zimmer, - *room*
die Zitronenrolle, -n *lemon roulade*
zu *to*
der Zucker *sugar*
zuerst *firstly*
zufrieden, -e|-en|-er|-es *satisfied, content*
der Zug, Züge *train*
zügeln *to rein in*
der Zugverkehr *train service*
das Zuhause *home*
die Zukunft *future*
zum *to the*
zum Schluss *finally*

zumachen *to close*
der Zungenbrecher, - *tongue twister*
die Zungenspitze, -en *tip of the tongue*
zuordnen *to match*
zur *to the*
zur Verfügung stehen *to be at somebody's disposal*
zurück *back*
zurückkommen (kam zurück, zurückgekommen) *to return, to come back*
zusammen *together*
zusammenarbeiten *to work together, to cooperate*
die Zustandsveränderung *change of state*
zwanzig *twenty*
der Zweck, -e *purpose*
zwei *two*
das Zweibettzimmer, - *twin room*
zweimal *twice, two times*
zweite|n|r|s *second*
die Zweizimmerwohnung, -en *two-room flat, one-bedroom flat*
der Zwetschgenzweig, -e *twig of a plum tree*
zwischen *between*
zwitschern *to twitter*
zwölf *twelve*

Englisch-Deutsches Glossar **English-German Glossary**

A

a few einige
a lot sehr, viel
a.m. vormittags
a|an ein|e
above über
abroad das Ausland
absolutely not gar nicht
accessory das Accessoire, -s
action die Aktion, -en
activity die Aktivität, -en
actor der|die Schauspieler|in,
    Schauspieler|innen
actually eigentlich; tatsächlich
ad(vert) die Anzeige, -n
to add in einfügen
additional costs die Nebenkosten (Pl.)
address die Adresse, -n; die Anschrift, -en
admittedly allerdings
adult der|die Erwachsene|r, Erwachsenen
affectionately liebevoll
affordable günstig
after nach
after all schließlich
afternoon der Nachmittag, -e
afterwards anschließend; nachher; danach
again wieder
against gegen
age das Alter
ago vor
to agree vereinbaren
airport der Flughafen, -häfen
alike gleichermaßen
all alle
all right in Ordnung; okay
allergic allergisch
allergy die Allergie, -n
almost fast
alone allein
along entlang
aloud laut
alphabet das Alphabet, -e
already schon
also auch
alternative die Alternative, -n
(al)though obwohl
altogether insgesamt
always immer
amazing großartig
and und
angel der Engel, -

angry wütend
animal das Tier, -e
to annoy nerven
to answer antworten, beantworten
ant die Ameise, -n
apartment die Wohnung, -en
to appear aussehen (sah aus, ausgesehen);
    erscheinen (erschien, erschienen)
apple der Apfel, Äpfel
application die Bewerbung, -en
appointment der Termin, -e
April der April
architect der|die Architekt|in,
    Architekten|-innen
architecture die Architektur, -en
arm der Arm, -e
around herum
arrival die Ankunft, Ankünfte
to arrive ankommen (kam an, angekommen)
art die Kunst, Künste
art gallery die Pinakothek, -en
artist der|die Künstler|in, Künstler|innen
artwork das Kunstwerk, -e
as wie
as well as sowie
to ask fragen; bitten (bat, gebeten)
at an; bei; um
at all überhaupt
at last endlich
at night nachts
attorney der|die Anwalt|Anwältin,
    Anwälte|-innen
August der August
aunt die Tante, -n
author der|die Autor|in, Autoren|innen
authority die Behörde, -n
autumn der Herbst, -e
away weg

B

baby das Baby, -s
back der Rücken, -; zurück
backache die Rückenschmerzen (Pl.)
bad schlecht, schlimm
to bake backen (backte, gebacken)
baker der|die Bäcker|in, Bäcker|-innen
bakery die Bäckerei, -en
balcony der Balkon, -s
ball der Ball, Bälle
ball game das Ballspiel, -e

ballet das Ballett, -e
banana die Banane, -n
bank die Bank, -en
bank clerk der|die Bankkaufmann|-frau,
  Bankkaufmänner|-frauen
bar die Bar, -s; die Kneipe, -n
barbecue der Grill, -s
basketball der Basketball
to bathe baden
bathroom das Bad, Bäder
to be sein (war, gewesen)
to be able to können (konnte, gekonnt)
to be absent fehlen
to be allowed dürfen (durfte, gedurft)
to be at somebody's disposal zur Verfügung
  stehen
to be called heißen (hieß, geheißen)
to be careful aufpassen
to be happy about sich freuen über
to be missing fehlen
to be sorry leidtun (tat leid, leidgetan)
to be valid gelten (galt, gegolten)
beach der Strand, Strände
beautiful schön
because weil
to become werden (wurde, geworden)
bed das Bett, -en
bedroom das Schlafzimmer, -
beer das Bier, -e
beergarden der Biergarten, Biergärten
before bevor; vor
to begin beginnen (begann, begonnen)
to behave benehmen (benahm, benommen)
behind hinten; hinter
to believe glauben
to belong to gehören
below unten
beneath unten
to benefit nutzen
beside neben
better besser
between zwischen
bicycle das Fahrrad, -räder
big groß
big city die Großstadt, -städte
bill die Rechnung, -en
billion die Milliarde, -n
bird der Vogel, Vögel
birthday der Geburtstag, -e
birthplace der Geburtsort, -e
biscuit der Keks, -e
bit bisschen
to bite beißen (biss, gebissen)

black schwarz
blouse die Bluse, -n
to blow (wind) wehen
to blow out ausblasen (blies aus, ausgeblasen)
blue blau
body der Körper, -
body part der Körperteil, -e
to boil kochen
book das Buch, Bücher
to book buchen
booking die Buchung, -en
boot der Stiefel, -
border die Grenze, -n
boring langweilig
born geboren
boss der|die Chef|in, Chefs|-innen
bottle die Flasche, -n
bouquet der Blumenstrauß, -sträuße
bowl die Schüssel, -n
boyfriend der Freund, -e
bread das Brot, -e
(bread) roll das Brötchen, -
breakdown die Panne, -n
breakfast das Frühstück, -e
to breakfast frühstücken
breeze die Brise, -n
bridge die Brücke, -n
to bring bringen (brachte, gebracht)
to bring (something) mitbringen (brachte mit,
  mitgebracht)
broken kaputt
brother der Bruder, Brüder
brown braun
brunch der Brunch
to build bauen
building das Gebäude, -
to burn brennen (brannte, gebrannt)
bus der Bus, -se
bus stop die (Bus-)Haltestelle, -n
business card die Visitenkarte, -n
business trip die Dienstreise, -n
but sondern; aber; doch
butter die Butter
button der Knopf, Knöpfe
to buy kaufen
by von; vorbei

C
café das Café, -s
cake der Kuchen, -; die Torte, -n
calendar der Kalender, -
to call rufen (rief, gerufen)

camera die Kamera, -s
to camp zelten
camping site der Campingplatz, -plätze
to cancel absagen
candle die Kerze, -n
canteen die Kantine, -n
capital city die Hauptstadt, -städte
car das Auto, -s
card die Karte, -n
cat die Katze, -n
to catch fangen (fing, gefangen)
to catch a cold sich erkälten
CD die CD, -s
to celebrate feiern
cell phone das Handy, -s
central zentral
central station der Hauptbahnhof (Hbf.),
    -bahnhöfe
centre der Mittelpunkt, -e
century das Jahrhundert, -e
certain sicher
chain die Kette, -n
chair der Stuhl, Stühle
to change abwechseln; wechseln; ändern
to change (train, bus, etc) umsteigen (stieg um,
    umgestiegen)
change das Wechselgeld; die Veränderung, -en
changeable wechselhaft
chapter das Kapitel, -
character der Charakter, -e
cheap billig; günstig
check die Kontrolle, -n
to check nachschauen; überprüfen
cheese der Käse
chef der|die Koch|Köchin, Köche|-innen
chest die Brust, Brüste
chic schick
child das Kind, -er
childhood die Kindheit
children's room das Kinderzimmer, -
chin das Kinn, -e
chips die Pommes frites (Pl.)
chocolate die Schokolade, -n
choir der Chor, Chöre
to choose wählen
church die Kirche, -n
cinema das Kino, -s
city hall das Rathaus, -häuser
class die Klasse, -n
classic(al) klassisch
to clean putzen
clean sauber
clear klar

clearly laid-out übersichtlich
clever klug
clock die Uhr, -en
to close schließen (schloss, geschlossen);
    zumachen
clothes die Kleidung, -en
cloud die Wolke, -n
cloudy bewölkt
club der Club, -s
coach der|die Coach|-in, Coaches|-innen,
    der Reisebus, -se
coastal region die Küstenregion, -en
coat der Mantel, Mäntel
coffee der Kaffee, -s
cold kalt; die Kälte
cold der Schnupfen
colleague der|die Kollege|-in, Kollegen|-innen
to collect sammeln; holen
collection die Sammlung, -en
colour die Farbe, -n
colourful bunt
to combine kombinieren
to come kommen (kam, gekommen)
to come along mitkommen (kam mit,
    mitgekommen)
to come back zurückkommen (kam zurück,
    zurückgekommen)
comedy die Komödie, -n
to communicate kommunizieren
to compare vergleichen (verglich, verglichen)
complete gesamt
to complicate komplizieren
complicated kompliziert
to compose komponieren
computer der Computer, -
computer game das Computerspiel, -e
concert das Konzert, -e
concession die Ermäßigung, -en
confident selbstbewusst
to confirm bestätigen
confirmation die Bestätigung, -en
to congratulate gratulieren
congratulations Herzlichen Glückwunsch
to connect verbinden (verband, verbunden)
to consider überlegen
content zufrieden
to continue weitergehen (ging weiter,
    weitergegangen)
conversation das Gespräch, -e
to convey mitteilen
to cook kochen
cooker der Herd, -e
cookie der Keks, -e

to cooperate zusammenarbeiten
copy die Kopie, -n
to copy kopieren
core der Kern, -e
corner die Ecke, -n
to correct korrigieren
correct richtig
to cost kosten
cosy gemütlich
to cough husten
country das Land, Länder
countryside die Landschaft, -en
course der Kurs, -e
crazy verrückt
cream die Sahne
credit card die Kreditkarte, -n
crime story der Krimi, -s
to cross kreuzen
to cry weinen
cup die Tasse, -n
cupboard der Schrank, Schränke
curriculum vitae der Lebenslauf, -läufe
customer der|die Kunde|Kundin,
    Kunden|Kundinnen
to cut schneiden (schnitt, geschnitten)
cyclist der|die Radfahrer|in, Radfahrer|innen

D
daily routine der Alltag, -e; der Tagesablauf,
    -abläufe
to dance tanzen
dancer der|die Tänzer|in, Tänzer|innen
dark dunkel
data die Daten (Pl.)
date das Datum, Daten
date of birth das Geburtsdatum, -daten
daughter die Tochter, Töchter
daughter-in-law die Schwiegertochter, -töchter
day der Tag, -e
the day after tomorrow übermorgen
the day before yesterday vorgestern
to deal with thematisieren
December der Dezember
degree der Grad, -e
to delete streichen (strich, gestrichen)
to demand verlangen; fordern
demand die Aufforderung, -en
democratic demokratisch
to depart abfahren (fuhr ab, abgefahren);
    starten
department store das Kaufhaus, -häuser
departure die Abfahrt, -en; die Abreise, -n
to depict darstellen

to describe beschreiben (beschrieb,
    beschrieben)
desk der Schreibtisch, -e
dessert die Nachspeise, -n; der Nachtisch, -e
destination das Reiseziel, -e
to destroy zerstören
to develop entwickeln
dialect der Dialekt, -e
dialogue der Dialog, -e
dictionary das Wörterbuch, -bücher
to die sterben (starb, gestorben)
to differ verschieden sein
different unterschiedlich
different(ly) anders
dining room der Speiseraum, -räume
direct direkt
direction die Richtung, -en
directions die Wegbeschreibung, -en
director der|die Direktor|in, Direktoren|-innen
dirty schmutzig
to disappear verschwinden (verschwand,
    verschwunden)
to discuss besprechen (besprach, besprochen);
    unterhalten (unterhielt, unterhalten)
disgusting eklig
dish das Gericht, -e
distant fern
to disturb stören
to do tun (tat, getan); machen
doctor der|die Arzt|Ärztin, Ärzte|-innen
doctor's surgery die Arztpraxis, -praxen
dog der|die Hund|Hündin, Hunde|Hündinnen
to donate spenden
door die Tür, -en
dot der Punkt, -e
double room das Doppelzimmer, -
to dream träumen
dress das Kleid, -er
to dress anziehen (zog an, angezogen)
drink das Getränk, -e
to drink trinken (trank, getrunken)
to drive fahren (fuhr, gefahren)
dry trocken
to dry off abtrocknen
to dry oneself sich abtrocknen
duck die Ente, -n
during während

E
each jeweils, je
ear das Ohr, -en
earache die Ohrenschmerzen (Pl.)

early früh
east der Osten
easy einfach
to eat essen (aß, gegessen)
economy die Wirtschaft, -en
education die Bildung
eight acht
eighteen achtzehn
eighty achtzig
electricity der Strom, Ströme
elegant elegant
eleven elf
email die E-Mail, -s
emotion die Emotion, -en
employee der|die Angestellte|r, Angestellten;
    der|die Mitarbeiter|in, Mitarbeiter|innen
empty leer
ending die Endung, -en
energetic energisch
energy die Energie, -n
engineer der|die Ingenieur|in,
    Ingenieure|-innen
enjoy your meal guten Appetit
enough genug
envy der Neid
equal gleich
equally gleichermaßen
especially besonders
etc. usw. (und so weiter)
euro der Euro, -s
even sogar; eben
evening der Abend, -e
ever je
every jeweils; jede|r|s
everything alles
everywhere überall
exact genau
exactly genauso
example das Beispiel, -e
excellent ausgezeichnet
exception die Ausnahme, -n
to exchange austauschen
exciting spannend
excursion der Ausflug, Ausflüge
excuse die Ausrede, -n
to excuse entschuldigen
excuse me die Entschuldigung, -en
exercise die Übung, -en
to exhibit ausstellen
to expect erwarten
expensive teuer
experience die Erfahrung, -en
to experience erleben

to express ausdrücken
extreme extrem
eye das Auge, -n

F
face das Gesicht, -er
factory die Fabrik, -en
faithful treulich
fall der Herbst, -e
to fall fallen (fiel, gefallen)
to fall asleep einschlafen (schlief ein,
    eingeschlafen)
false falsch
family die Familie, -n
family member das Familienmitglied, -er
family name der Familienname, -n
famous berühmt
fantastic fantastisch
far fern; weit
farmer der|die Bauer|Bäuerin,
    Bauern|Bäuerinnen
fashionable modisch
fast schnell
father der Vater, Väter
to favour bevorzugen; gefallen (gefiel, gefallen)
favourite Lieblings-
fear die Angst, Ängste
February der Februar
to feel fühlen
feeling das Gefühl, -e
female weiblich
to fetch holen
fever das Fieber
field das Feld, -er
fifteen fünfzehn
fifty fünfzig
to fill füllen
film der Film, -e
finally zum Schluss, schließlich
to find finden (fand, gefunden)
fine fein
finger der Finger, -
to finish enden
finished fertig
finishing time der Feierabend, -e
firm fest
first erste
first name der Vorname, -n
firstly zuerst
fish der Fisch, -e
to fit anpassen, passen
five fünf
flag die Flagge, -n

flat die Wohnung, -en
flatmate der|die Mitbewohner|in,
    Mitbewohner|innen
flight der Flug, Flüge
flight attendant der|die Flugbegleiter|in,
    Flugbegleiter|innen
to flow fließen (floss, geflossen)
flower die Blume, -n
flu die Grippe, -n
to fly fliegen (flog, geflogen)
foggy neblig
to follow folgen
following folgende
foot der Fuß, Füße
football der Fußball
football game das Fußballspiel, -e
football team die Fußballmannschaft, -en
for bei; für
foreground der Vordergrund
forehead die Stirn, -en
foreigner der|die Ausländer|in,
    Ausländer|-innen
forest der Wald, Wälder
to forget vergessen (vergaß, vergessen)
fork die Gabel, -n
to form bilden
formal formell, förmlich
forty vierzig
four vier
fourteen vierzehn
fox der Fuchs, Füchse
free frei
free time die Freizeit
French fries die Pommes frites (Pl.)
frequently häufig
fresh frisch
Friday der Freitag, -e
fridge der Kühlschrank, -schränke
friend der|die Freund|in, Freunde|-innen
friendly freundlich
frog der Frosch, Frösche
from ab, aus
fruit die Frucht, Früchte; das Obst
to fry braten (briet, gebraten)
full voll
fully-booked ausgebucht
fun Spaß machen
funny lustig; witzig
furnished möbliert
furniture die Möbel (Pl.)
further weiter; sonstig
future die Zukunft

G

garage die Garage, -n
garden der Garten, Gärten
general allgemein; generell
to get bekommen (bekam, bekommen)
to get married heiraten
to get up aufstehen (stand auf, aufgestanden)
get well soon gute Besserung
girl das Mädchen, -
girlfriend die Freundin, -innen
to give geben (gab, gegeben); schenken
glass das Glas, Gläser
glasses die Brille, -n
glove der Handschuh, -e
to go gehen (ging, gegangen)
to go to hingehen (ging hin, hingegangen)
goal das Ziel, -e
good gut
goodbye auf Wiedersehen, tschüss
goodbye (on telephone) auf Wiederhören
to graduate absolvieren
grammar school das Gymnasium, Gymnasien
grandchild das Enkelkind, -er
granddaughter die Enkeltochter, -töchter; die
    Enkelin, -nen
grandfather der Großvater, -väter
grandmother die Großmutter, -mütter
grandpa der Opa, -s
grandparents die Großeltern (Pl.)
grandson der Enkel, -; der Enkelsohn, -söhne
to grasp fassen
grass der Rasen, -
green grün
to greet grüßen
greeting die Begrüßung, -en
grey grau
ground der Boden, Böden
grown up erwachsen
guest der Gast, Gäste

H

hair das Haar, -e
hairdresser der|die Friseur|in, Friseure|-innen
half halb
hand die Hand, Hände
to hang on anhängen (hing an, angehangen)
to happen passieren
happy froh: glücklich
happy birthday Herzlichen Glückwunsch
hard-working fleißig
hat der Hut, Hüte
to have haben (hatte, gehabt)

to have to müssen; sollen (sollte, gesollt)
he er
head der Kopf, Köpfe
headache die Kopfschmerzen (Pl.)
health die Gesundheit
healthy gesund
to hear hören
heart das Herz, -en
heartily herzhaft
hello hallo
hello (Austria) Servus
hello (Switzerland) Grüezi
to help helfen (half, geholfen)
helpful hilfreich
her sie; ihr
here hier
high hoch
high school das Gymnasium, Gymnasien
to hike wandern
hiking boot der Wanderschuh, -e
him ihn; ihm
him-|her-|itself sich
his sein
historic historisch
hobby das Hobby, -s
to hold halten (hielt, gehalten)
holiday der Urlaub, -e; die Semesterferien (Pl.)
holiday house das Ferienhaus, -häuser
home das Zuhause
to hope hoffen
hope die Hoffnung, -en
hopefully hoffentlich
hospital das Krankenhaus, -häuser
hot heiß
hotel das Hotel, -s
hotel room das Hotelzimmer, -
hour die Stunde (Std.), -n
house das Haus, Häuser
house husband|wife der|die Hausmann|-frau, Hausmänner|-frauen
how are you? wie geht's?
how come wieso?
however allerdings; jedoch
human menschlich
human being der Mensch, -en
humour der Humor
hundred hundert
hunger der Hunger
hurry die Eile
to hurt wehtun (tat weh, wehgetan)

I
I ich
ice cream das Eis
idea die Idee, -n
to identify bezeichnen
identity card der Personalausweis, -e
if falls; wenn
ill krank
illness die Krankheit, -en
I'm sorry. Es|Das tut mir leid.
immediately sofort
important wichtig; bedeutend
impression der Eindruck, Eindrücke
in in
in order to damit
in spite of trotzdem
in the afternoon nachmittags
in the evening abends
in the morning morgens; vormittags
included inbegriffen; inklusive
incompetent inkompetent
indeed tatsächlich
indirect indirekt
to infect anstecken
infection die Entzündung, -en
to inflame entzünden
inflammation die Entzündung, -en
influenza die Grippe, -n
informal informell
information die Information, -en
to injure verletzen
inside innen
to insist bestehen (bestand, bestanden)
to inspire inspirieren
instead statt
intact intakt
intelligent intelligent
to intend beabsichtigen; vorhaben (hatte vor, vorgehabt)
to interest interessieren
interesting interessant
international international
internet das Internet
internship das Praktikum, Praktika
interview das Interview, -s
to interview interviewen
invitation die Einladung, -en
to invite einladen (lud ein, eingeladen)
invoice die Rechnung, -en
to iron bügeln
island die Insel, -n
it es
itinerary die Reiseroute, -n
its sein

J

jacket die Jacke, -n
jam die Marmelade, -n
January der Januar
jeans die Jeans
job der Beruf, -e
job interview das Vorstellungsgespräch, -e
journalism der Journalismus
journalist der|die Journalist|in,
   Journalisten|-innen
joy die Freude, -n
judge der|die Richter|in, Richter|innen
juice der Saft, Säfte
July der Juli
to jump springen (sprang, gesprungen)
June der Juni
just now eben

K

key der Schlüssel, -
kilometer der Kilometer, -
kind lieb; nett
kiosk der Kiosk, -e
kiss der Kuss, Küsse
to kiss küssen
kitchen die Küche, -n
knee das Knie, -
knife das Messer, -
to know one's way around sich auskennen
   (kannte aus, ausgekannt)
to know (facts) wissen (wusste, gewusst)
to know (person) kennen (kannte, gekannt)
knowledge die Kenntnis, -se

L

lamp die Lampe, -n
land das Land, Länder
to land landen
language die Sprache, -n
language skills die Sprachkenntnisse (Pl.)
last letzte
to last (time) dauern
late spät
to laugh lachen
lawyer der|die Anwalt|Anwältin,
   Anwälte|-innen
lazy faul
to lead führen
to learn lernen
left linke|r|s; links
leg das Bein, -e

length (of time) die Dauer
to let lassen (ließ, gelassen); vermieten
to let somebody know Bescheid sagen
letter der Brief, -e; der Buchstabe, -n
to lie liegen (lag, gelegen)
light hell; leicht; licht; das Licht, -er
to like gefallen (gefiel, gefallen); mögen
   (mochte, gemocht)
like wie
list die Liste, -n
to listen hören
literally wörtlich
little klein
to live leben; wohnen
living room das Wohnzimmer, -
local lokal
loneliness die Einsamkeit
long lang
to look after betreuen
to look at ansehen (sah an, angesehen),
   anschauen
to look for suchen
to look forward to sich freuen auf
lottery das Lotto, -s
loud laut
to love lieben
luck das Glück
lucky glücklich
lunch hour|break die Mittagspause, -n

M

mad verrückt
magazine die Zeitschrift, -en
main road die Hauptstraße, -n
mainland das Festland
to make machen
male männlich
man der Mann, Männer
manager der|die Manager|in, Manager|innen
many viel
March der März
marital status der Familienstand
mark der Fleck, -en
market der Markt, Märkte
married verheiratet
married couple das Ehepaar, -e
to match zuordnen
maximum maximal
May der Mai
maybe eventuell; vielleicht
mayor der|die Bürgermeister|in,
   Bürgermeister|innen

me mich; mir
meaning die Bedeutung, -en
means of transport das Verkehrsmittel, -
to measure messen (maß, gemessen)
meat das Fleisch
mechanic der|die Mechaniker|in,
　Mechaniker|innen
medicine das Medikament, -e; die Medizin
to meet treffen (traf, getroffen)
meeting die Sitzung, -en
menu die Speisekarte, -n
microwave die Mikrowelle, -n
midday der Mittag, -e
middle die Mitte, -n
(in the) middle of mitten
midnight die Mitternacht, -nächte
mild mild
milk die Milch
million die Million (Mio.), -en
mineral water das Mineralwasser, -
minute die Minute, -n
misfortune das Unglück, -e
to miss verpassen
misty neblig
to mix mischen
mobile phone das Handy, -s
modern modern
mom die Mutti, -s
moment der Moment, -e
Monday der Montag, -e
money das Geld
month der Monat, -e
more mehr
most meist
mother die Mutter, Mütter
motorbike das Motorrad, -räder
motorway die Autobahn, -en
mountain der Berg, -e
mouse die Maus, Mäuse
mouth der Mund, Münder
mouth (of animal) das Maul, Mäuler
to move bewegen (bewegte, bewegt)
movement die Bewegung, -en
much viel
mug der Becher, -
mum(my) die Mutti, -s
museum das Museum, Museen
music die Musik, -en
musician der|die Musiker|in, Musiker|innen
my mein|e
myself mich
mysterious mysteriös

N
name der Name, -n
to name nennen (nannte, genannt)
to narrow down beschränken
nation die Nation, -en
nationality die Staatsangehörigkeit, -en
naturally natürlich
near nahe
nearly fast
necessary nötig
neck der Hals, Hälse
to need brauchen
negative negativ
nephew der Neffe, -n
network Netzwerk, -e
never nie
nevertheless doch; trotzdem
new neu
news die Nachrichten (Pl.)
newspaper die Zeitung, -en
nice nett
niece die Nichte, -n
night die Nacht, Nächte
night shift die Nachtschicht, -en
nine neun
nineteen neunzehn
ninety neunzig
no nein; kein
nobody niemand
none kein
noon der Mittag, -e
normal normal
north Nord
north der Norden
northern nördlich
northwest nordwestlich
Norway Norwegen
nose die Nase, -n
not nicht
notebook das Heft, -e
nothing nichts
novel der Roman, -e
November der November
now jetzt
number die Anzahl, -en; die Zahl, -en
to number nummerieren
nurse der|die Krankenpfleger|in, -schwester,
　Krankenpfleger|innen, -schwestern
nursery der Kindergarten, -gärten

Glossar

O

object der Gegenstand, -stände
occupation der Beruf, -e
to occur geschehen (geschah, geschehen);
   vorkommen (kam vor, vorgekommen)
ocean das Meer, -e
o'clock Uhr
October der Oktober
of von
of age volljährig
of course natürlich
of the vom
off los
to offer anbieten (bot an, angeboten)
offer das Angebot, -e
office das Büro, -s; das Arbeitszimmer, -
often häufig, oft
oil das Öl, -e
OK okay
old alt
olive die Olive, -n
on an; bei; auf
once einmal
one eins
one man
only nur
to open eröffnen; öffnen
open offen
to open aufmachen
openess die Offenheit
opera die Oper, -n
opposite gegenüber
or oder
orange orange
orange die Orange, -n
orange juice der Orangensaft, -säfte
to order bestellen
organization der Verband, Verbände
original das Original, -e
original picture das Originalbild, -er
other andere|n|r|s; sonstig
our unser
out aus
out and about unterwegs
outside draußen
outward journey die Hinfahrt, -en
over über
over there dort drüben
overnight stay die Übernachtung, -en
own eigen
owner der|die Inhaber|in, Inhaber|innen

P

p.m. nachmittags
to pack einpacken; packen
pain der Schmerz, -en
pair paar
pants die Hose, -n
pants suit der Hosenanzug, -anzüge
paper das Papier, -e
papers die Unterlage, -n (Pl.)
parcel das Paket, -e
pardon die Entschuldigung, -en
parents die Eltern (Pl.)
park der Park, -s
park bench die Parkbank, -bänke
parliament das Parlament, -e
part der Teil, -e
partner der|die Partner|in, Partner|innen
party die Partei, -en; die Party, -s
passenger der|die Passagier|in,
   Passagiere|-innen
passport der Reisepass, -pässe
past vorbei
past die Vergangenheit
path der Weg, -e
pattern das Muster, -
to pay bezahlen; zahlen
to pay attention to achten auf
pea die Erbse, -n
to peel schälen
pen der Stift, -e
pencil der Bleistift, -e
pension die Rente, -n
pensioner der|die Senior|in, Senioren|innen
people die Leute (Pl.)
per pro
perfect perfekt
person die Person, -en; der Mensch, -en
personally persönlich
pet das Haustier, -e
pharmacy die Apotheke, -n
phone call der Anruf, -e
photo das Foto, -s
to photograph fotografieren
picture das Bild, -er
piece das Stück, -e
pilot der|die Pilot|in, Piloten|innen
pink rosa
pity das Mitleid
pizza die Pizza, Pizzen
place der Ort, -e; der Platz, Plätze
to place legen, setzen
place of interest die Sehenswürdigkeit, -en
place of residence der Wohnort, -e

plan der Plan, Pläne
to plan planen
plane das Flugzeug, -e
plate der Teller, -
platform der Bahnsteig, -e; das Gleis, -e
to play spielen
play das Theaterstück, -e
please bitte
point der Punkt, -e
point in time der Zeitpunkt, -e
police force die Polizei, -
police officer der|die Polizist|in,
    Polizisten|-innen
polite höflich
political politisch
politician der|die Politiker|in, Politiker|innen
popular beliebt
position die Arbeitsstelle, -n; die Position, -en
positive positiv
possibility die Möglichkeit, -en
possible eventuell
possibly vielleicht
post office die Post
poster das Poster, -
to postpone verschieben (verschob,
    verschoben)
potato die Kartoffel, -n
to pour with rain in Strömen regnen
practical praktisch
practice die Praxis, Praxen
to prefer bevorzugen
prescription das Rezept, -e
present das Geschenk, -e
to press drücken
previously vorher
price der Preis, -e
price tag das Preisschild, -er
primary school die Grundschule, -n
private privat
probability die Wahrscheinlichkeit, -en
product das Produkt, -e
professional professionell
professor der|die Professor|in,
    Professoren|innen
to pronounce aussprechen (sprach aus,
    ausgesprochen)
pronunciation die Aussprache
properly richtig
pub die Kneipe, -n
public öffentlich; die Öffentlichkeit, -en
to pull ziehen (zog, gezogen)
punctual pünktlich
purple lila

purpose der Zweck, -e
to pursue betreiben (betrieb, betrieben)
to put legen
to put make up on sich schminken
to put on anziehen (zog an, angezogen)

Q
quarter das Viertel, -
quick schnell
quiet leise, ruhig
quiz das Quiz, -

R
radio das Radio, -s
railway die Bahn, -en
railway line das Gleis, -e
rain der Regen
to rain regnen
raincoat die Regenjacke, -n
rarely selten
rather lieber
to reach erreichen
to read lesen (las, gelesen)
to read aloud vorlesen (las vor, vorgelesen)
real echt
really wirklich
reason der Grund, Gründe
to receive erhalten (erhielt, erhalten)
recently neulich
recipe das Rezept, -e
to recommend empfehlen (empfahl,
    empfohlen)
red rot
red wine der Rotwein, -e
refrigerator der Kühlschrank, -schränke
region die Region, -en
regional regional
to relate to beziehen (bezog, bezogen)
to relax entspannen
relaxed entspannt
to remember sich erinnern
rent die Miete, -n
to rent mieten
to rent out vermieten
to repair reparieren
to request bitten (bat, gebeten); fordern
reservation die Reservierung, -en
to reserve reservieren
response die Antwort, -en
responsible verantwortlich
to rest ausruhen
restaurant das Restaurant, -s

Glossar

result das Ergebnis, -se; die Folge, -n
résumé der Lebenslauf, -läufe
to return zurückkommen (kam zurück, zurückgekommen)
return flight der Rückflug, -flüge
return journey die Rückfahrt, -en
rich reich
to ride reiten (ritt, geritten)
right recht; rechts
ring der Ring, -e
to rise steigen (stieg, gestiegen)
river der Fluss, Flüsse
to roast braten (briet, gebraten)
role die Rolle, -n
room der Raum, Räume; das Zimmer, -
roommate der|die Mitbewohner|in, Mitbewohner|innen
round rund; um
routine die Routine, -n
rude unhöflich
ruin die Ruine, -n
rule die Regel, -n
to run laufen (lief, gelaufen)
to run away weglaufen (lief weg, weggelaufen)
to run off abkommen (kam ab, abgekommen)
to run out ausgehen (ging aus, ausgegangen)
to run through durchgehen (ging durch, durchgegangen)

S
sad traurig
salad der Salat, -e
salesperson der|die Kaufmann|-frau, Kaufmänner|-frauen; der|die Verkäufer|in, Verkäufer|innen
sandal die Sandale, -n
satisfied zufrieden
Saturday der Samstag, -e
sausage die Wurst, Würste
to say sagen
scarf der Schal, -s
shame schade
school die Schule, -n
school education die Schulausbildung, -en
scientist der|die Wissenschaftler|in, Wissenschaftler|innen
scissors die Schere, -n
to scream schreien (schrie, geschrien)
sea das Meer, -e
sea view der Seeblick
to search suchen
season die Jahreszeit, -en

seat der Sitzplatz, -plätze
second zweite
secretary der|die Sekretär|in, Sekretäre|-innen
to see sehen (sah, gesehen)
to seem scheinen (schien, geschienen)
seldom selten
selection die Auswahl, -en
self selbst
to sell verkaufen
to send schicken, abschicken
September der September
serious(ly) ernst
serviette die Serviette, -n
to set setzen; stellen
seven sieben
seventeen siebzehn
seventy siebzig
several mehrere
several times mehrmals
to sew nähen
to share teilen
shared flat die WG, -s,
to shave rasieren
she sie
shelf das Regal, -e
shellfish die Meeresfrucht, -früchte
to shine scheinen (schien, geschienen)
ship das Schiff, -e
shirt das Hemd, -en
shoe der Schuh, -e
to shop einkaufen
shop das Geschäft, -e
shopping centre|mall das Einkaufszentrum, -zentren
short kurz
shorts die Shorts (Pl.)
shoulder die Schulter, -n
to show anzeigen; zeigen
to shower duschen
side die Seite, -n
signature die Unterschrift, -en
similar ähnlich
simple einfach
simultaneously gleichzeitig
since seit
to sing singen (sang, gesungen)
single ledig
single room das Einzelzimmer, -
to sink sinken (sank, gesunken)
sister die Schwester, -n
to sit sitzen (saß, gesessen)
sitting room das Wohnzimmer, -
situation die Lage, -n; die Situation, -en

six sechs
sixteen sechzehn
sixty sechzig
size die Größe, -n
to ski Ski fahren (fuhr Ski, Ski gefahren)
skin die Haut, Häute
skirt suit das Kostüm, -e
to sleep schlafen (schlief, geschlafen)
to sleep in ausschlafen (schlief aus,
    ausgeschlafen)
sleet der Schneeregen
slow langsam
Slowakia die Slowakei
small klein
to smell riechen (roch, gerochen)
to smoke rauchen
sneakers dieTurnschuhe (Pl.); die Laufschuhe
    (Pl.)
to sneeze niesen
snow der Schnee
to snow schneien
snowfall der Schneefall, -fälle
so so
so that damit
soap opera die Seifenoper, -n
soccer der Fußball
social sozial
sock die Socke, -n
sofa das Sofa, -s
soldier der / die Soldat/in, Soldaten/-innen
solution die Lösung, -en
to solve lösen
some manche|n|r|s; einige
somebody jemand
something etwas
sometimes manchmal
son der Sohn, Söhne
son-in-law der Schwiegersohn, -söhne
soon bald
sore throat die Halsschmerzen (Pl.)
to sound klingen (klang, geklungen)
soup die Suppe, -n
south der Süden
southern südlich
southwest der Südwesten
sparkling mit Kohlensäure
to speak sprechen (sprach, gesprochen)
speaker der|die Sprecher|in, Sprecher|innen
special besondere|r
speciality die Besonderheit, -en; die
    Spezialität, -en
specific bestimmt
to specify angeben (gab an, angegeben)

to spend (time) verbringen (verbrachte,
    verbracht)
to spend the night übernachten
spoon der Löffel, -
sport der Sport
sporty sportlich
spring der Frühling, -e
square das Quadrat, -e; der Platz, Plätze
square metre der Quadratmeter, -
stage die Bühne, -n
to stand stehen (stand, gestanden)
to start starten; anfangen (fing an,
    angefangen)
start der Anfang, Anfänge
starter die Vorspeise, -n
to state erklären
state der Staat, -en
state-owned staatlich
stay der Aufenthalt, -e
to stay bleiben (blieb, geblieben)
to steal stehlen (stahl, gestohlen)
still ohne Kohlensäure; still; noch
to stink stinken (stank, gestunken)
stock market die Börse, -n
stomach der Bauch, Bäuche
stomach ache die Bauchschmerzen (Pl.)
stormy stürmisch
story die Erzählung, -en; die Geschichte, -n
stove der Herd, -e
straight gerade; geradewegs
straight on geradeaus
straightaway sofort
strange komisch
strawberry die Erdbeere, -n
street die Straße, -n
street map der Stadtplan, -pläne
strength die Stärke, -n
strict streng
strong stark
student der|die Student|in, Studenten|-innen
studies das Studium, Studien
studious fleißig
study das Arbeitszimmer, -; die Studie, -n
to study studieren
stupid dumm
stylish modisch
subject das Fach, Fächer
to substitute vertreten (vertrat, vertreten)
success der Erfolg, -e
such solche
sugar der Zucker
suggestion der Vorschlag, Vorschläge
suit der Anzug, Anzüge

to suit passen
sum die Summe, -n
summer der Sommer, -
sun die Sonne, -n
Sunday der Sonntag, -e
sunglasses die Sonnenbrille, -n
sunny sonnig
sunshine der Sonnenschein
super super; toll; hervorragend
supermarket der Supermarkt, -märkte
to support unterstützen
sure sicher
surprise die Überraschung, -en
to swear schwören (schwor, geschworen)
to sweat schwitzen
sweater der Pullover, -
sweet süß
to swim schwimmen (schwamm, geschwommen)
swimsuit der Badeanzug, -anzüge
to symbolize symbolisieren
sympathy das Mitleid
symptom das Symptom, -e

T
table der Tisch, -e
table lamp die Tischlampe, -n
tablet die Tablette, -n
tail der Schwanz, Schwänze
to take nehmen (nahm, genommen)
to take off ausziehen (zog aus, ausgezogen)
to take over übernehmen (übernahm, übernommen)
to talk reden
tall groß
to tap tippen
to taste schmecken
tasty lecker
taxi das Taxi, -s
taxi driver der|die Taxifahrer|in, Taxifahrer|innen
tea der Tee, Tees
teacher der|die Lehrer|in, Lehrer|innen
team das Team, -s
to tear off abreißen (riss ab, abgerissen)
technical die Technik, -en
technician der|die Techniker|in, Techniker|innen
to telephone anrufen (rief an, angerufen), telefonieren
telephone das Telefon, -e
telephone number die Telefonnummer, -n
to tell erzählen

temperature die Temperatur, -en
ten zehn
tennis das Tennis
terrible furchtbar
test der Test, -s; die Prüfung, -en
text der Text, -e
than als
to thank danken
thanks|thank you danke
that dass
the der|die|das
theatre das Theater, -
them sie; ihnen
themselves sich
then damals; dann
then (used for emphasis) denn
there da; dort
therefore deshalb; deswegen
they sie
thing das Ding, -e; die Sache, -n
to think denken (dachte, gedacht)
to think about nachdenken (dachte nach, nachgedacht)
to think over nachdenken (dachte nach, nachgedacht)
third dritte
thirst der Durst
thirteen dreizehn
thirty dreißig
this dies
thousand tausend
three drei
thrice dreimal
through durch
thumb der Daumen, -
Thursday der Donnerstag, -e
ticket die Eintrittskarte, -n; die Fahrkarte, -n
to tidy aufräumen
tidy ordentlich
time die Uhrzeit, -en; die Zeit, -en
times mal
tip das Trinkgeld, -er
tired müde
to hin; zu
to the zum|zur
today heute
toe der Zeh, -en
together zusammen
toilet die Toilette, -n
tomato die Tomate, -n
tomorrow morgen
tongue die Zunge, -n
tooth der Zahn, Zähne

Glossar

toothache die Zahnschmerzen (Pl.)
total gesamt
tourist der|die Tourist|in, Touristen|-innen
tower der Turm, Türme
town die Stadt, Städte
town hall das Rathaus, -häuser
tradition die Tradition, -en
traditionally traditionell
traffic jam der Stau, -s
train der Zug, Züge
train station der Bahnhof, Bahnhöfe
trainers die Turnschuhe (Pl.); die Laufschuhe
　(Pl.)
training die Ausbildung, -en
tram die Straßenbahn, -en
to translate übersetzen
translation die Übersetzung, -en
transport der Verkehr
transport system das Verkehrssystem, -e
to travel fahren (fuhr, gefahren)
to travel reisen
tree der Baum, Bäume
trolley der Wagen, -
trouser suit der Hosenanzug, -anzüge
trousers die Hose, -n
truthful ehrlich
to try probieren; versuchen
to try on anprobieren
Tuesday der Dienstag, -e
tunnel der Tunnel, -
to turn abbiegen (bog ab, abgebogen); biegen
　(bog, gebogen); drehen
to turn on anmachen
to turn round wenden (wendete, gewendet)
TV der Fernseher, -
twelve zwölf
twenty zwanzig
twice zweimal
twin room das Zweibettzimmer, -
two zwei
type die Art, -en
typical typisch

U
umbrella der Regenschirm, -e
uncle der Onkel, -
under unter
underneath unter
to understand verstehen (verstand, verstanden)
to undertake unternehmen (unternahm,
　unternommen)
to undress ausziehen (zog aus, ausgezogen)

unfortunately leider
uni(versity) die Uni, -s; die Universität, -en
unknown unbekannt
unmarried ledig
unprofessional unprofessionell
untidy unordentlich
until bis
unwell krank
up oben
upstairs oben
up-to-date aktuell
urgent dringend
us uns
to use benutzen; verwenden (verwendete,
　verwendet)
useful nützlich

V
vacation die Semesterferien, -; der Urlaub, -e
vacationer der|die Urlauber|in,
　Urlauber|innen
valid gültig
vegetable(s) das Gemüse, -
very sehr
very much gern
view der Blick, -e
visit der Besuch, -e
to visit besuchen
vocational training die Berufsausbildung, -en
to vote wählen

W
to wait warten
waiter der|die Kellner|in, Kellner|innen
to wake up aufwachen
to walk gehen (ging, gegangen); laufen (lief,
　gelaufen)
to want wollen
to want to Lust haben
warm warm
warmly herzlich
to wash waschen (wusch, gewaschen)
to watch schauen; anschauen
to watch out for achten auf
to watch TV fernsehen (sah fern, ferngesehen)
water das Wasser
we wir
weak schwach
weakness die Schwäche, -n
to wear tragen (trug, getragen)
weather das Wetter, -
weather forecast die Wettervorhersage, -n

weather report der Wetterbericht, -e
Wednesday der Mittwoch, -e
week die Woche, -n
weekday der Wochentag, -e
weekend das Wochenende, -n
weekend break|excursion der
    Wochenendausflug, -ausflüge
to welcome willkommen
well gut; also; na
well-known bekannt
west der Westen
what was
when wenn; als; wann
where wo
where from woher
where to wohin
whether ob
which welche|n|r|s
while während
white weiß
white wine der Weißwein, -e
who wer
whole ganz
whom wen; wem
whose wessen
why warum; wieso
to win gewinnen (gewann, gewonnen)
window das Fenster, -
windy windig
wine der Wein, -e
winter der Winter, -
to wish wünschen
with mit
with one another miteinander
without ohne

woman die Frau, -en
word das Wort, Wörter
work die Arbeit, -en
to work arbeiten
work colleague der|die Arbeitskollege|-in,
    Arbeitskollege|-innen
work experience die Berufserfahrung, -en
to work out klappen
worker der|die Arbeiter|in, Arbeiter|innen
workplace der Arbeitsplatz, -plätze
world die Welt, -en
world trip die Weltreise, -n
worldwide weltweit
worry die Sorge, -n
to write schreiben (schrieb, geschrieben)
to write down aufschreiben (schrieb auf,
    aufgeschrieben)
wrong falsch

Y
year das Jahr, -e
yellow gelb
yes ja
yesterday gestern
yet aber; noch
you du; dich; dir; ihr, euch; Sie; Ihnen
young jung
your dein; euer; ihr; Ihr
yourself dich; euch; sich
youth die Jugend

Z
zero null